ケント・ギルバート

儒教に支配された中国人と韓国人の悲劇

講談社＋α新書
プラスアルファ

はじめに——DNA以上に精神的に大きく異なる日本と中韓

地球儀を眺めてみると、私が生まれ育ったアメリカと日本とは、太平洋を挟んでかなりの距離があります。第二次世界大戦当時、最大の敵同士として激しく戦った日米両国は、いまではお互いに理解を深め、強固な同盟国となりました。

二〇一六年一一月のアメリカ大統領選挙に勝ったドナルド・トランプ氏は、選挙後最初の外国首脳との会談相手に、日本の安倍晋三内閣総理大臣を選びました。

ニューヨークのトランプ・タワーにあるトランプ氏の自宅で行われた非公式な会談には、愛娘のイヴァンカさんと、トランプ政権のキーマンともいわれる娘婿のジャレッド・クシュナー氏も同席しました。トランプ氏は会談後すぐ、自身のフェイスブックで安倍総理とのツーショット写真を公開し、

「安倍晋三総理が私の自宅に立ち寄り、素晴らしい友情が芽生えたのは楽しいことでし

た」

とコメントしています。

しかし、両国の政府や国民がどれほど頑張って、精神的な、あるいは文化的な距離を縮めようと努力したとしても、残念ながら両国の物理的な距離を縮めることはできません。代わりに日本の近くには、中国と韓国、そして北朝鮮（朝鮮民主主義人民共和国）という「特亜三国」や「特定アジア」と呼ばれる国々があります（中華人民共和国のことを「中国」と呼ぶのは、はるか以前から日本の中国地方といわれてきた地域に住む方々に申し訳なく、本当は抵抗があるのですが、本書では便宜的に中国という表記を使います）。

同じ東洋人が建国した国家であり近くにありながら、日本とこれらの国々は、様々な点で大きな違いがあります。このことを明確に意識してちゃんと理解できたのは、私が日本にやって来てからのことでした。

アメリカという土地で暮らしていると、私だけでなく多くのアメリカ人の目には、日本と「特亜三国」のあいだには、大きな違いがないように映ります。恐らく、「そんな馬鹿な！」と思われることでしょう。

しかし、ベトナム、ラオス、カンボジア、ミャンマーの違いが分かる日本人は、どの程度いるでしょうか。ノルウェー、フィンランド、スウェーデン、デンマークの違いはいかがでしょうか。

あるいは、中東にたくさんあるイスラム教国の区別が付くでしょうか。シーア派とスンニ派の違いについてはどうでしょうか。

冷静に考えれば、自分の仕事や趣味と無関係な地域の国のことは、実はほとんど何も知らないという事実に気が付くはずです。

あるアメリカ人は、中国だか韓国だったかの時代劇ドラマを見て、

「ニッポンのサムライが活躍している」

と勘違いしていました。また、あるときアメリカ人の友人から、

「香港(ホンコン)には東京から新幹線で行けるのか？」

と質問されたこともあります。

日本人も中国人も、そして韓国人も、いわゆる黄色人種に分類され、一般的な白人からは、大きな違いはないように見えます。それぞれの国についても、もし「日本は島国、中国は大陸、韓国は半島にある」と答えられるアメリカ人がいたら、かなり知的レベルが高い人物であるはずです。

私自身は、来日後いろいろな思いから調べてみて、日本と中国・韓国には大きな隔たりがあることが分かってきました。

事実、最近の研究では、ＤＮＡを解析してみたところ、日本人、中国人、韓国人のＤＮＡには、大きな違いがあることが判明したそうです。

ただし、日本と中国・韓国の決定的な違いは、先天的なＤＮＡの問題よりも、後天的要素である歴史的、文化的な背景にあると思います。物事に対する考え方や捉え方が、日本人と中国人、そして韓国人とでは、根本から、正反対といっていいほど違います。そして、その違いの根源が「儒教」にあると、私は考えています。

最近の外交問題を見ても、「特亜三国」の非常識ぶりは際立っていますが、その源泉は儒教に由来するというのが本書の主張です。

「儒教の呪い」に支配されたままなのが、「特亜三国」、つまり中国、韓国、北朝鮮なのです。彼らの非常識ぶりに、日本はどう対処すればいいのか——儒教思想の本質を理解することなく、日本の常識に基づいた、日本人的な対応を続ければ、いままでと同じように、必ず裏目に出ます。

儒教国家に対応するには、ちゃんとした「作法」があるのです。それを本書で明らかにしていきます。

なお、本書に登場する人物の肩書は、記述内容当時のものとなっています。

目次◉儒教に支配された中国人と韓国人の悲劇

第二章　キリストも孔子も韓国人？

第三章　中国・韓国の自己中心主義の裏側

第四章　日本は儒教国家ではない！

第五章　儒教の陰謀は現在進行中！

序章　「儒教の呪い」とは何か

道徳と倫理を捨てた儒教の害毒

儒教というと、みなさんはどのようなイメージを抱かれるでしょうか。「徳」を重んじる思想、あるいは封建制度を支える上下の規律といったところでしょうか。儒教の代表的教科書である『論語』は、日本人にとって、人格者を育てるのに最適な書物の一つとして考えられています。

たとえば、「己の欲せざる所、人に施すこと勿かれ（自分が人からされたら嫌だと思うことを、人にやってはならない）」という論語の一節は、他人に迷惑を掛けることを何よりも戒める、日本人のメンタリティにピッタリです。

現代でも、「四書五経」と呼ばれる儒教の書物をみんなで一斉に朗読し、それを繰り返すうちに、やがてはスラスラと暗唱するまでに至る「素読」を通じて、素行不良だった子どもが更生するようなことが、現在進行形で起きています。おそらく大半の日本人は、儒教に対して悪いイメージを持っていないと思います。

ところがこの儒教文化こそ、中国大陸を支配する王朝が次々に生まれては消えた長い歴史のなかで、そこに住む人民を、そして周辺の国々を苦しめてきた、元凶の一つといっても過言ではないのです。

なぜなら儒教こそが、いまなお漢民族のエリート層を中心に根強く残っている「中華思想」と、密接につながっているからです。

中華思想では、中国の皇帝こそが世界の中心であり、そこから離れた地域は未開の地、そして、そこに住む人々は禽獣(きんじゅう)にも等しいと考えます。中心に近ければ近いほど先進的で優れており、遠ければ遠いほど未開で野蛮なのだと、何の根拠もなく無条件に決め付けているのです。

東京やニューヨークのような大都会に生まれて何不自由なく育った、しかも親の躾(しつけ)がなっていない「傲慢(ごうまん)なクソガキ」が抱きそうなこの手の妄想を、いい大人になっても信じている愚か者……それが中華思想に染まった連中です。

それだけでなく、中華思想の下では、世界のすべては中国皇帝の所有物であるとも考えます。

このような身勝手な妄想が、民主主義全盛の現代においても、中国人、とりわけ漢民族のエリート層、要するに中国共産党の幹部連中の頭のなかに、根強く残っているのです。

彼らの筋金入りの傲慢さは、儒教を淵源とする中華思想に根差しているのです。

習近平国家主席は、その就任演説で、

「中華民族の偉大な復興という中国の夢」

という言葉を堂々と掲げました。

この覇権主義的な発言は、まさに中華思想が彼自身の精神的主柱として存在する証拠であり、中国が東シナ海や南シナ海で行っている暴挙も、中華思想、ひいては儒教の教えを抜きに理解することはできません。

「おまえのものはおれのもの、おれのものもおれのもの」という、『ドラえもん』に出てくるガキ大将「ジャイアン」のように、傲岸不遜な中国の言動は、世界の人々の規範や常識を超えたところに要因があるのです。

さらに始末に負えないのが、その儒教精神において、本来であれば重要とされてきたはずの「道徳」や「倫理」を、現代中国人の多くは完全に置き忘れてきてしまったことです。この歪んだ儒教の伝授が、世界的に大迷惑な政治体制と、多くの現代中国人の傍若無人な国民性の基礎となってしまったのです。

以下、具体的な事例を示しながら詳しく述べてみましょう。

秦の始皇帝が儒教を禁じた理由

ここまで読まれた方のなかには、「儒教精神がいまも中国に生きているなんて本当なのか？」と、疑問に思う人がいるかもしれません。

おそらくそれは、中国が改革と称して断行した「文化大革命」をご存じだからでしょう。一九六六年から始まった「政治・思想・文化」改革運動、その攻撃の矛先（ほこさき）は、もちろん儒教にも及びました。特に一九七三年から始まった「批林批孔運動」では、孔子（こうし）が名指しで批判されます。

曰（いわ）く、「孔子は封建的な思想の持ち主、大悪人である」と――。

実はこの運動の背景には、中国共産党内部の権力闘争がありました。儒教やその祖とされる孔子は、とんだとばっちりを受けた格好ですが、この文化大革命のおかげで、儒教の中心となる「仁・義・礼・智・信」などの優れた部分は破壊され、文革後の中国人からは、すっかり抜け落ちてしまいました。その結果、中国人は極端な拝金主義に陥るのです。

ただし、文化大革命が起きるはるか以前から、儒教思想に囚（とら）われた中国人と付き合うことに警告を発していた人物が日本にいました。その人物の文章を引用します。

〈支那が古来、幾多の革命を経たにもかかわらず、その文明の上になんら新しい要素を加えてこなかったのは、孔子の儒教を万古不易の道と誤認して、宗教的偏執ともいえるものを抱き、それのみに拘泥して他を排斥してきたからである。

もちろん孔子も、儒教徒のなかでは大聖人にはちがいないけれども、神ではない。人である。したがって、その知識にはなお至らないところがあって、誤解がないともかぎらない〉（『大隈重信、中国人を大いに論ず　現代語訳『日支民族性論』』大隈重信著、倉山満監修、祥伝社、P42）

以上は現代語に訳したものですが、元の文章を書いたのは、早稲田大学の創設者にして、総理大臣を二度も務めた明治の元勲、大隈重信です。

儒教を説いた孔子は紀元前五五二年に生まれ、同四七九年に亡くなったと伝えられます。その後、孟子を筆頭とする孔子の思想の継承者たちが、儒教を中国大陸に広めました。

紀元前二二一年に中国最初の統一王朝である秦が成立します。すると儒教は、始皇帝の命令で禁じられます。有名な「焚書坑儒」が行われました。儒教の書物は燃やされ、儒教の学者四六〇人余りが生き埋めにされて、虐殺されました。

始皇帝は儒教ではなく、道教を政治に採り入れます。道教は儒教と比べると簡素な教えで、儒教が好む華美さを持たない点が始皇帝に好まれたといいます。

始皇帝が亡くなると、秦は漢を建国した劉邦に滅ぼされます。やがて漢王朝が数世代続くうちに、簡素な教えの道教よりも、敬礼威儀を主張する儒教へと、為政者たちは傾倒していきます。

武力で覇権を手にした初代から、後継者が世代を経るにつれて、貴族的で華美なものに憧れ始めるのが、世の中の常のようです。

大隈重信は、次のように記しています。

〈こうして、儒教はしだいに頭を擡げてきて、漢末には、王莽（紀元前四五―二三）によって偽善を飾るのに利用された〉（前掲書、Ｐ49）

孔子が説いた儒教が最初から「偽善を飾る」ためのものだったのか、それとも時代を経るにつれてその姿が変容していったのか、私は断ずることができません。キリスト教や仏教も、開祖の教えからは様々に変容していますから。

この後、北朝の北周の第三代皇帝である武帝（ぶてい）は、西暦五七四年、「三教」と呼ばれる儒教、道教、仏教のなかから、儒教を国教として選びます。こうして儒教は、完全に復活したといってよいでしょう。

儒教思想に問題があることを、秦の始皇帝が二二〇〇年以上も昔に感じていた事実には驚きました。しかも始皇帝に弾圧されて、一度は滅びかけた儒教が、その後もしぶとく生き残り、ついには完全復活し、現代中国人の思想にまで強い影響を与えている事実も驚くべきことです。

名前は昔から変わらず「儒教」であっても、孔子から時代を下るごとに、どんどん質が低下しているように思えます。

四川（しせん）省に生まれ、幼い頃に文化大革命を体験し、その後日本に帰化した評論家の石平（せきへい）さんは、「論語とは何かを日本で初めて知った」と述べています。中国には、孔子の教えの本質を違えた「呪われた儒教」しか伝わっていないのかもしれません。

儒教と共産主義は最悪のコンビ

それでは、儒教思想二五〇〇年の「呪い」とは何でしょうか。

この話に入る前に、儒教とその聖典ともいうべき『論語』について、もう少し説明する必要がありそうです。

たとえば『論語』には次のような一節があります。

〈葉公語孔子曰、吾黨有直躬者。其父攘羊、而子證之。孔子曰、吾黨之直者異於是。父爲子隱、子爲父隱。直在其中矣〉

【書き下し文】

葉公、孔子に語りて曰わく、吾が党に直躬なる者有り。其の父、羊を攘みて、子之を証せり。孔子曰わく、吾が党の直き者は是れに異なり。父は子の為めに隠し、子は父の為に隠す。直きこと其の内に在り。（『論語の講義』諸橋轍次著、大修館書店、P300）

これは次のような話です。葉という県の長官が、

「私の村の直躬という正直者は、父親が羊を盗んだのを知って、子どもなのに訴え出ました」

と孔子に話しました。すると孔子は、

「私の村での正直とは、この事例とは違います。父は子のためには罪を隠してかばい、子は父のために罪を隠してかばうものです。この罪を隠すことのなかにこそ、正直の精神があるのです」

と諭したというのです。

中国では、孔子以前から祖先崇拝の精神が強く伝えられ、その家族愛や信義などを孔子が『論語』にまとめました（正確には孔子の弟子たちが編纂しましたが）。この精神は脈々と受け継がれ、中国大陸の十数回に及ぶ「易姓革命」や、封建的な伝統文化のすべてを悪と決め付け、破壊しようとした中国共産党の「文化大革命」という逆風のなかでも生き残ったのです。

その一方で、「仁・義・礼・智・信」といった道徳心や倫理観は、文化大革命の影響で、最終的には完全に失われてしまったのです。

先ほど述べた「公（おおやけ）」よりも家族愛を上に置く価値観を突き詰めていくと、結果的に「公」よりも「私（わたくし）」を重んじる方向へ向かいます。それは「私」や「一族」の利益のためなら、法律を犯すこともよしとする風潮へと変化していったのです。

今日、中国が世界のなかでも特異な価値観を持ち、国際社会からの孤立を深めているのも、この価値観が大きな要因となっているわけです。つまり彼らが、国際法という公のルールを守ることよりも、「自国だけの利益」を、いや、実際には共産党幹部や軍の将軍が、「自分とその一族の利益だけ」を守ることのほうが重要だと考えているからです。

この事実を知れば、国際社会における中国という国の、不可解でバラバラな行動の理由が理解できるはずです。

辛亥（しんがい）革命を起こした孫文（そんぶん）は、「中国人は握れば指の間から落ちる砂のようだ」といったそうです。中国社会は、個人の内側や家のなかに閉じこもった、バラバラで繋がりのない、砂の集まりのようなものなのです。そんな社会では、身内愛や血縁を超える開かれた社会道徳や公共心は育たないでしょう。

二〇一一年には広東（カントン）省で、二歳の女の子がひき逃げされたあと、一八人がそれを見て見ぬ振りをして通り過ぎるという衝撃的な事件が起きました。野生動物ですら、危機的状況にある仲間を、自らの危険を顧(かえり)みず救い出すシーンは珍しくありません。

中華思想に基づいて、周辺国の人々を散々バカにしてきた中国人ですが、儒教と共産主義という最悪の組み合わせによって、いまや本当に「禽獣以下」の社会道徳や公共心しか持たないほどに落ちぶれたといっても過言ではないでしょう。

第一章　沖縄も東南アジアも樺太も中国領？

人民解放軍とナチスの類似性

中華思想をメンタリティの中心に据えている中国人は、世界の常識とはかけ離れた行動をとります。実際、民族意識の高まりから二〇世紀には多くの植民地が独立を果たしましたが（その潮流を生み出したのは間違いなく日本です）、二一世紀に入った今日でも、中国は、世界の潮流とはまったく逆の動きをしています。

たとえばチベットは、もともと独立国でした。これは歴史的に間違いのない事実ですが、一九四九年に中華人民共和国が成立すると、五一年には中国共産党の軍隊である人民解放軍による軍事侵攻を受けて制圧されます。人民解放軍はチベット人に対する人権侵害行為を継続。君主であるダライ・ラマ一四世は、五九年にインドに亡命、政治難民となります。こうしてチベットは完全に中国の支配下に置かれたのです。

また、かつて東トルキスタンと呼ばれていたイスラム教徒の国も、同じく人民解放軍の軍事侵攻を受けて、いまでは新疆（しんきょう）ウイグル自治区と呼ばれるようになりました。内モンゴル自治区も同様に制圧されました。民族も宗教も違う周辺諸国を、人民解放軍は、武力によって侵略し、強引に奪ったのです。

これらの地域で数多くのチベット人やウイグル人、そしてモンゴル人が虐殺され、ナチスがユダヤ人に行ったような迫害を現在も受け続けているという事実は、中国国内の問題だとして、日本のメディアはほとんど伝えません。二〇〇九年から二〇一五年までの六年間で一四〇人を上回るチベット僧の抗議の焼身自殺があった事実も、滅多に報道されません。

中国の覇権主義は、最近でこそ東シナ海や南シナ海での動きが露骨になり、世界にも広く知られるようになりましたが、その動機となる儒教由来の中華思想は、二千数百年間に数多の王朝交代を経たにもかかわらず、中国人の意識の真ん中に息づいているのです。

たとえば二〇一五年、尖閣諸島近海で中国船の領海侵犯がクローズアップされたときの話です。ある民放番組が、「爆買いツアー」で来日している中国人に、街頭インタビューを敢行しました。インタビュアーの、「この問題についてどう思いますか？」という質問に対し、この中年の中国人は、「もともと日本は中国のものだから」との回答……このようなメンタリティは、インタビューに答えた中国人特有のものではなく、多くの中国人に共通しているものと考えられます。

そして、この特異なメンタリティは、中国共産党が行ってきた愛国教育によって強化されてきました。

江沢民(こうたくみん)の時代に顕著でしたが、その当時（一九九〇年代）の歴史教科書を開くと、驚くべき記述が多々あります。全体の一割から二割が反日の記述であり、それも「南京大虐殺」のような虚偽の内容ばかりなので、バカバカし過ぎて反論する気にもならないでしょう。

ちなみに執筆者は、嘘だと承知のうえで書いていますし、学生側も、教科書で学んだ内容が嘘でも構わないと考える確信犯ですから、反論による説得は不可能です。表紙に「この歴史教科書はフィクションです」と書いてもらいたいものです。

さらに驚くのは、東南アジアやネパール、朝鮮半島、樺太(からふと)、そして沿海州（極東ロシアの日本海沿岸にあった州）に至るまで、「もともとは中国の領土だった」と記述していることです。これらの領土は、外国に奪われた土地だというのです。もちろん教科書の執筆者は、そんな証拠など存在しないことを承知のうえで記述しています。

まさに「おまえのものはおれのもの、おれのものもおれのもの」という、中華思想メンタリティの面目躍如(めんもくやくじょ)です。

しかし、笑い話で済ませられるものではありません。中国が露骨な野心で海外に魔の手を伸ばしている原動力が、そこにこそあるからです。

二〇〇七年、中国人民解放軍幹部がアメリカ太平洋軍のキーティング司令官に、「ハワイから東はアメリカが、ハワイから西は中国が管理しよう」と持ちかけたことがありました。これは決してジョークでも何でもなく、また軍幹部一人の見解でもない……中国政府首脳の意志と見ていいでしょう。

中国は、さらにその太平洋分割の起点となるハワイ諸島にも領有権を主張しているといったら、誰が信じるでしょうか。

「まさか、いくらなんでも中国もそこまでは……」と誰もが思うことでしょう。しかし二〇一二年に、アメリカ国務長官ヒラリー・クリントンが次のように証言しています。東アジアサミットで南シナ海問題について言及したとき、中国政府要人が、「中国はハワイの領有権も主張できる」と言い放った、と――。

どんな根拠があるのか聞きたいところですが、まさにお笑い種（ぐさ）です。

中国における沖縄の呼称は？

膨張を続ける中国は、領土的野心を露（あら）わにしています。なにしろ先述のように、超ジコチューの「オレ様国家」ですから、世界の常識から外れたことをいっても、恥ずかしいという感覚が湧かないのでしょう。

中国の新聞に「環球時報」があります。二〇一六年夏、その電子版に、「琉球諸島を沖縄と呼んではいけない」という内容の記事が掲載されました。「環球時報」は中国共産党の機関紙「人民日報」の系列ですから、中国当局の本音と見ていいでしょう。

そこでは、「琉球王国はもともと独立した存在であり、その後、日本によって占領された」と主張しています。そして、沖縄という言葉は日本が琉球諸島を占領したあとに付けた名称であるから、「それを使えば、日本の主権を認めてしまう」という論理なのです。

沖縄には日本の主権が及ばないということを主張し、沖縄県石垣市に含まれる尖閣諸島も日本には帰属しないという論理を展開したい。その意図は見え見えです。

中華思想に基づく自らの主張が、たとえ史実や世界の常識に反していても、決して自らの過(あやま)ちを認めないのが中国人。「中華民族（≒漢民族）は天命を受けた地球の支配者なのだから、どこで何をしても許される」と本気で考えています。つまり、彼らの頭のなかには、「過ち」という概念自体が存在しないのです。

南シナ海で中国が、いかに侵略の魔の手を広げてきたのか、ご存じだと思います。それに対してフィリピンが国際仲裁裁判所の場に訴え出て、勝訴しました。しかし、その判決を無視して、中国は実効支配を続けています。自分たちにとって不都合なことはすべて無視しますし、歴史の捏造（ねつぞう）や事実の歪曲（わいきょく）など朝飯前です。

中国の、相手の隙（すき）を突いて少しずつ侵略の手を広げるやり口には、気を付けなければなりません。強引に押し込んだあとに、スッと引いて安心させる。しばらくすると、前に押し込んだところまでが既成事実化します。

そうすると、さらに強引に押し込んで、抵抗されたらスッと引く。この繰り返しです。「サラミスライス戦略」とも呼ばれます。少しずつ、しかし確実に、じっくりと時間をかけて、相手の権益を削り取っていくという手口です。

沖縄に対する中国の領土的野心は、実は、尖閣問題が表面化する前からありました。保守の論客、櫻井（さくらい）よしこさんなども、早い段階から警鐘を鳴らされていました。そして一〇年ほど前、ある講演で「中国は沖縄を狙っている」と発言したそうですが、会場からは「そんなバカな……」といった、間の抜けた笑い声が広がったそうです。

中国は、相手を油断させておいて、虎視眈々（こしたんたん）と付け入る隙を窺（うかが）っている。当時は大多数の日本人が、「まさか中国もそこまでは主張しないだろう」と思っていたのだと思います。

その数年後のこと。あるテレビの討論番組で、今度はジャーナリストの山際澄夫さんが「中国は沖縄を狙っている」と発言しました。するとこれを受けて、東洋学園大学教授の朱建栄さんが、鼻で笑い、「そんなのは、せいぜい『2ちゃんねる』とかの落書き程度の話です」と反論されたそうです。

朱さんは中国出身の政治学者。どちらかというと中国政府を擁護する発言が多かったのですが、このときはさすがに、「いくらなんでも中国もそこまでは主張しないだろう」という思いで発言されたのでしょう。しかし、現実は予想を超えていたわけです。

そしていままでは、中国は、沖縄に対する露骨な領土的野心を隠そうともしません。「なんでもかんでも自分のもの」という「オレ様主義」も、そう簡単には治りそうにありません。「他人に迷惑をかけてはならない」と教えられて育つ日本人は、それを適用すべき相手を選ばないと、彼らにとって「カモネギ」にしかならないのです。

中国の沖縄奪取作戦が始まった

最近の中国は、沖縄に対する領土的野心を実現すべく、具体的な工作活動を行っています。普天間基地移設反対や、北部訓練場ヘリパッド工事の妨害など、米軍基地反対運動に名を借りて、日米同盟に楔を打ちこもうとする運動を行っています。

この運動はさらに、日本本土と沖縄を分断させ、いずれは沖縄を独立させようというものです。中国の計画は着々と進んでいるのです。

沖縄選出の国会議員のなかには、明確に、「辺野古基地反対運動は、沖縄独立運動につながる」とまで言い切っている人物さえいます。

たとえば沖縄社会大衆党の糸数慶子参議院議員などは、「反対運動を行っている県民は、琉球独立も視野に動いている」と発言しています。糸数議員は国連の人種差別撤廃委員会、先住民族世界会議に「琉球民族代表」として出席し、「異民族」である在日米軍と日本人が、先住民族である琉球民族の土地を接収した旨の演説を行ってもいます。

そして沖縄県知事の翁長雄志氏も、尖閣諸島を脅かす中国に対しては何もいわないのに、辺野古への基地移転には何が何でも反対の姿勢を貫いているだけでなく、「沖縄は日本ではない」という主旨の発言を行っています。

二〇一五年九月、翁長知事は国連人権理事会で演説を行いました。そこで翁長知事は、「県民の意志を無視して辺野古へ米軍基地を移転するのは、人権問題である」と訴えているのです。

「福建省福州市名誉市民」の称号を中国からもらっている翁長知事は、中国との結びつきが強く、その言動には中国の強い働きかけがあると見てもいいでしょう。習近平国家主席とは、彼が福建省の役人だった時代からの付き合いだといいます。

実は国連での演説も、セッティングしたのは市民団体……沖縄県庁はまったくタッチしていません。その市民団体のバックには中国の影がちらつき、なにより翁長氏の沖縄県知事当選の陰には、その強い働きかけがあったと噂されています。

これは、古代中国から続く兵法の「敵勢力を分断」させるという戦略そのもの。「分断」とは、敵勢力のなかで自軍にシンパシーを抱く人間に大きな援助を与え、敵のなかで勢力を拡大させる手法のことです。実際の戦闘になると弱いくせに、中国人は、このような謀略が本当に得意です。逆に、根が正直で性善説を好む日本人は、戦闘になれば驚くほど強いのですが、謀略にはからきし弱いのです。

政治家や活動家の背後に誰が控えているのか、しっかりチェックしたいところです。

そして国内だけでなく、中国から直接の「沖縄奪取」の動きも見られます。

二〇一六年七月、香港で「南海—琉球国際秩序検討会」と銘打った会議が開催され、「中華民族琉球特別自治区準備委員会」なる団体の会長が、

「尖閣諸島や沖縄を中国に返還させる訴訟を、国際司法裁判所に提訴する準備に入った」と発表しました。

この会合の名称からも分かるように、中国共産党は、南シナ海問題と沖縄を同じレベルでとらえており、何が何でも沖縄を自分たちのものにするという野心をむき出しにしているのです。

この「中華民族琉球特別自治区準備委員会」の設立には、中国の人民解放軍が関わっており、資金提供も行っているといいます。

平和ボケした日本人の多くは、まだ「沖縄が中国に狙われている」という実感が湧かないでしょう。しかし、彼らは本気ですし、その魔の手はすでに相当伸びているのです。一刻も早く手を打たないと、手遅れになってしまいます。

国境という意識がない中国人の愚

以前、ある中国人に、「中国人には国境という意識が薄いのです」といわれ、そのときはどういう意味なのか、よく理解できませんでした。現在、中国はその領土的野心を露わにして、南シナ海や日本の尖閣諸島付近に進出し、周辺国家と摩擦を引き起こしていますが、これは中国人の国境意識の薄さの現れでもあるのです。

よく、「中国三〇〇〇年の歴史」などといいますが、現在の中国、すなわち中華人民共和国の建国は一九四九年なので、わずか七〇年弱の歴史しかありません。その短いあいだに、ウイグル、チベット、モンゴル、ソ連（ロシア）、台湾、インド、ブータン、北朝鮮、ベトナム、フィリピン、ブルネイ、マレーシアなどと、領土や領海を巡る争いを繰り返してきました。

なるほど、最初から国境という意識がなければ、他人の領土に土足で上がっても平気、というわけです。

この中国人のメンタリティは、やはり古くから中国人に根付いている中華思想と関係があります。

繰り返しになりますが、中国こそが、世界はおろか宇宙の中心であり、世の中に存在するすべては中国皇帝のものである、という考えが中華思想です。世界の中心である自分たちから距離が離れている場所は野蛮な地であり、そこに住む人間は禽獣に等しいという、強烈な自意識が彼らにはあります。理性的な現代人にとっては単なる「妄想」ですが、彼らには、この妄想が、骨の髄まで、そうＤＮＡのレベルまで染み付いているのです。

また、儒教に見てとれる序列意識も強烈です。東西南北、四方の異民族のことは人間として認めておらず、「東夷（とうい）」「西戎（せいじゅう）」「北狄（ほくてき）」「南蛮（なんばん）」などという蔑称（べっしょう）を付けて呼んでいました。そして、禽獣に等しい異民族には秩序などないので、国家としてすら認めないと考えているわけです。

「世界はすべて自分たちのもの」――未開の古代ならまだしも、現代においてこのような考えを持つ国家や民族が存在するとは想像しにくいでしょう。しかし残念ながら、日本のすぐ近くに、そのような国家や民族が存在するのです。

他人のことなど顧みず、ひたすら自分の利益を優先させ、他国からの批判に耳を傾けるつもりなどない――まさに中華思想の真骨頂（しんこっちょう）といえるでしょう。日本は、この事実を前提として中国という国や人民と接しない限り、日中外交が上手くいくはずがないのです。

二〇五〇年に日本は消失する？

二〇年以上も前のことですが、李鵬（りほう）首相は、訪中したオーストラリア首相に、「日本は取るに足るほどの国ではありません、三〇年もすれば、だいたい消滅しているでしょう」

と発言したといいます。

李鵬首相がどのような趣旨で発言したのか分かりませんが、ひょっとしたら、膨張する中国が日本を飲み込んでやる、といった決意表明だったのかもしれません。

それから数年後、この李鵬首相の野望を裏付けるかのような「二〇五〇極東マップ」なるものがネット上にアップされ、一部で話題になりました。

中国外交部（外務省）から流出したとされるこの地図では、日本国は東西に二分されています。朝鮮半島は「朝鮮省」として色分けされ、日本海も「東北海」と書き改めてあります。

肝心の日本は、東日本は「日本自治区」、西日本は「東海省」と色分けされているのです。

この地図は、中国外務省から流出したわけではなく、ただのニセモノだという説もあります。しかし、かつて参議院議員を務めた浜田和幸氏は、次のように語っています。

「私が初めてこの手の地図を目にしたのは、騒ぎになるよりも前、今から二年ほど前である。中国に駐在していた経産省の知り合いの官僚が帰国したので、久しぶりに会って話をしたのだが、『中国外務省の役人からこんなものを渡された』と地図を見せられた。地図に込められた禍々しい野心に、強い衝撃と怒りを感じたことを今でもよく覚えている」（「SAPIO」二〇〇九年一二月二三日・二〇一〇年一月四日合併号）

当初、この地図を目にしたとき、その真贋が分からず、ひょっとしたら「嫌中派・反中派の人間の創作かもしれない」とも考えました。しかし、「SAPIO」の記事を読む限り、出所が中国であることは間違いないようです。

中国側がこの地図を作成した意図は明確ではありません。単に日本を揶揄するための、誰かのイタズラだったのかもしれません。しかし、たとえお遊びだとしても、これが中国人のメンタリティに深く刻み込まれている欲望だと思ったほうがいいでしょう。

先ほど紹介した李鵬首相の言葉が示す通り、日本占領計画の一端である可能性もあります。警戒だけは怠らないようにしたいところです。

GDPの三〇％に及ぶ賄賂の背景

道徳心や高い倫理観を失った中国人は、自らの利益のためなら法を犯すことすら厭いません。彼らは、息をするように嘘をつきますが、そこに罪悪感は微塵もありません。「騙すほうより騙されるほうが悪い」と考えているからです。また、「公」よりも「私」を優先するので、国家への忠誠心もありません。

その結果、中国の官僚の腐敗ぶりは、それはもう酷いものです。発展途上国には、往々にして汚職が蔓延っているものですが、中国のそれは、人口が多いということもありますが、数においても規模においても、他国を圧倒しています。

もちろん日本でも、役人が賄賂を受け取る事件はたびたび発覚しています。しかしその額は、数十万円とか一〇〇万円といったレベルでしょう。田中角栄総理を辞任に追い込んだロッキード事件ですら、賄賂の金額は五億円でした。

ところが中国で表面化している汚職事件では、市長レベルの役人ですら、日本円で数十億円単位の賄賂を受け取っています。

これは石平さんから聞いた話ですが、人民解放軍の兵士になりたいと思えば、まずは採用担当者に贈る賄賂が必要なのだそうです。

そのあとは、自分が希望する部署に配属されるための賄賂を人事担当者に贈り、次は階級を上げるための賄賂を上司に贈ってと、まったくキリがないのですが、出世して偉くなってくると、今度は賄賂をもらえる立場になる。すなわち中国人にとっての贈賄とは、いずれ収賄側に回るための初期投資なのです。

このような有り様ですから、中国で贈収賄の経験がない役人を探すことは、人類が移住可能な太陽系外惑星を発見することよりも難しいかもしれません。

大和総研が発表したデータによると、二〇〇八年に中国全体で受け渡しされた賄賂の合計は一一六兆円近くにも上るとのこと……なんと中国のGDP（国内総生産。あくまで公式発表の数値）の三〇％を占めたのです。

この報道がなされると、さすがに中国国内でも大騒ぎとなり、温家宝首相も、「中国は腐敗にまみれている……」と嘆いたといいます。ところがその後、その温家宝首相自身の収賄疑惑が持ち上がります。「ニューヨーク・タイムズ」紙が、温家宝一族の二七億ドル（一ドル一〇〇円で換算すると二七〇〇億円）にも及ぶ不正蓄財をスクープしたのです。

習近平国家主席は、こうした腐敗体質にメスを入れ、次々と汚職を摘発しています。しかしこれは、本当にクリーンな社会づくりを目指そうとする動きなのでしょうか。大方の見方は違います。

そう、習近平政権の汚職摘発は政治的な動きであり、政敵を潰す目的があると囁かれています。そもそも腐敗と汚職にまみれた中国共産党のなかで、習近平が若くして国家主席にまで上りつめる間、贈収賄と無縁だったはずがありません。

このように中国の役人には、「公」という意識はなく、もちろん国家のため、国民のために働くという意識は皆無。完全に欠落しているのです。そうして不正蓄財を行った汚職役人は、カナダやアメリカなど海外に資産を隠し、家族も先に移住させて、いつでも逃げられるようにしています。

このような人々を「裸官（ルオグワン）」といい、二〇一一年に中国社会科学院が行った調査によると、一九九〇年代中期以降に海外逃亡した政権幹部の人数は、実に一万八〇〇〇人……持ち出した金額は、八〇〇〇億元（約一〇兆三〇〇〇億円）にも上るといいます。

ちなみに、一九八〇年代に中央軍事委員会主席を務めた鄧小平（とうしょうへい）の息子と娘だけで、一〇兆円もの不正蓄財を海外に持ち出したと報じられています。これこそが、中国人が夢に見る「チャイニーズ・ドリーム」なのです。

このように、中国人には国家観という意識は薄く、すべては「私」を基準に動いているといっても過言ではないでしょう。

こうした悲惨ともいえる状態の根底に、「公」よりも「私」を優先する儒教思想があるのです。「中国は儒教思想の呪いにかかっている」という意味を、理解していただけたかと思います。

トランプと習近平は電話したのか

共産党による独裁主義体制下の中国に、「言論の自由」は一切ありません。自由な発言や報道を認めないのは、権力者が自らの地位と権力の座を何がなんでも守り通そうとするからです。言論の自由を認めれば体制側にとって不都合な情報が流され、民衆の不満や怒りが権力者に向かいかねません。

独裁者とは、体制を維持するためには自らに不都合な情報を遮断し、嘘を国民に伝えるもの。これは水が高いところから低いところへ流れるのと同じく、永遠の真理といっても過言ではありません。

ヒトラーに代表される独裁者だけでなく、社会主義や共産主義というシステムとしての独裁も、結局のところ、少数の権力者がお互いに血で血を洗いながら行うものですから、やはり国民に真実が知らされることはありません。資本主義を一部採り入れた現在の中国も、所詮(しょせん)は中国共産党が一党独裁を続ける国なので、その例外ではありません。

むしろ中国の場合は、共産主義国特有の体制維持の目的のほかに、中国特有の背景があるため、情報操作や報道規制がさらに強化されています。

すなわち、プライドが高く、面子(メンツ)を潰されることを極度に恐れる中国人は、その面子を保つための嘘が報道内容に加わるのです。ドナルド・トランプ氏は、アメリカ大統領に当選が決まった直後から、安倍総理など、「中国の習近平国家主席を除く外国指導者」と電話会談を行ったと発表しましたが、中国中央テレビ局（CCTV）は、「習近平国家主席はトランプ氏と電話会談を行って祝意を伝えた」と報じたのです。

トランプ氏側は公式に「その事実はない」と主張しています。これは明らかに、中国政府が大国としての面子を保つ目的で、国内向けに嘘を報じたのでしょう。トランプ氏としては、「中国人は嘘つきだ」という現実を目の当たりにしたところから米中外交をスタートできたので、とても幸運だったかもしれません。

中国の長い歴史は、そのほとんどが戦乱の時代でした。戦乱の時代に勝ち抜き、生き残るためには、謀略やプロパガンダは許される――そういう風土が育ったのです。実際、『孫子』や『三十六計』といった中国古来の兵法書にも、その謀略の手口がいくつも紹介されています。

日本では『三国志』の登場人物のなかで、正直者の劉備(りゅうび)や、その軍師である諸葛孔明(しょかつこうめい)が人気だと聞きますが、もし孔明が、勝利や出世のためなら極悪非道な手段もいとわない曹操の軍師だったとしたら、人気者どころか、憎むべき対象になっていたのではないでしょうか。

ちなみに中国では、極悪非道な曹操が、一番の人気者なのだそうです……。

中国人は詐欺やペテンでも「騙すほうより騙されるほうが悪い」と考えます。弱肉強食の厳しい世の中を生き残るためなので、嘘をつくことに罪悪感など持っていられないのです。

いわゆる「南京大虐殺」も、犠牲者が三〇万人などと、ありもしない数字を並べ立てています。先の大戦での中国人犠牲者数も、東京裁判では一八〇万人と申告していたにもかかわらず（そのなかには「国共内戦」で中国人同士が殺し合った数も間違いなく含まれていたでしょう）、現在では根拠もなく三〇〇〇万人以上と、その数を膨らませています。

一方、「天安門事件」については、いまでも中国政府は「犯罪者を取り締まっただけ」と強弁し、虐殺などなかったと言い張っているのです。

反日教育で子どもたちに虚偽のデータを刷り込み、徹底的に日本を悪玉に仕立て上げたのも、自らの政権の正当性を主張するため……中国人民の日常的な不平不満のはけ口を外に作ることで、共産党幹部たちが攻撃されないようにしているのです。

新聞で信用できるのは日付だけ？

日本では「朝日新聞」が、いわゆる「従軍慰安婦問題」でとんでもない誤報を流し、大きな問題になりました。ちなみに、日本兵のための「慰安婦」は確かに存在しましたが、歴史上、「従軍慰安婦」は存在しませんでした。この意味が分からない人は自分で調べてください。未だに「従軍慰安婦」という言葉を平気で使う人は、プロパガンダに踊らされていると自覚してください。

さて、中国では日本やアメリカと違って、誤報が流されても誰も騒ぎません。もともと新聞には虚偽情報ばかり載せてあると知っているからです。中国では、新聞記事に真実が書かれているとは、誰も思っていないのです。

それに、中国政府が意図的に流した虚偽情報を「それは嘘だ！」と下手に騒いだりしたら、公安に目を付けられて、どのような目に遭うか分からない。それが、中国という国なのです。

中国の代表的な新聞といえば「人民日報」ですが、これは一〇〇%政府系で、中国共産党の意向を汲んだ記事を垂れ流しています。

かつては、『人民日報』で信用できるのは、天気予報ぐらいなものだ」などと揶揄されていましたが、最近では、「いまや天気予報さえ共産党の検閲が入るようになった。もはや信用できるのは、日付だけだ」「いや、信用できるのは、『人民日報』の文字だけだ」などと陰口を叩かれる始末……共産党員ですら読んだふりをしているだけだ、などといわれています。

別の見方をすれば、「中国人民」は誰も、国家を動かす中国共産党を信じていないのです。中国の人民が国家を信用していないのですから、公の心、すなわち公共心がなくなるのは当然のことかもしれません。

中国三〇〇〇年の歴史という大嘘

世界でいちばん古い国はどこだか分かりますか？

国家の成立を断定するのは困難な面もありますが、アメリカの情報機関CIA（中央情報局）が毎年発刊する「ザ・ワールド・ファクトブック」には、世界二六八の国家や属領、その他の地域の諸情報の一つとして、国家の成立時期が記載されています。そのなかで、成立時から現在まで一度も滅ぶことなく継続している「世界最古の独立国家」は、実は日本です。

えっ？　と思った方もおられるでしょう。

かつて、「皇紀二六〇〇年」といわれた年は西暦一九四〇年です。つまり日本の建国は紀元前六六〇年というのが、戦前の日本政府の公式見解です。戦後もこの見解を改めたことはありません。一方、学術的には初代の神武天皇から九代の開化天皇までは実在しない、つまり「神話」というのが定説のようです。

一〇代の崇神天皇が実在したとすれば紀元前一世紀頃。大阪の堺市にある日本一巨大な古墳と、古事記の「民のかまど」の逸話で有名な第一六代の仁徳天皇は四世紀頃の在位です。『宋書』などに名前が残る「倭の五王」の一人である「武」と考えられている第二一代の雄略天皇は、五世紀半ばの在位です。実在と系譜が明確な第二六代の継体天皇になると、六世紀初頭の人物。そこから計算した日本国の歴史は、最短で約一五〇〇年となります。

ところが中国は、「中国三〇〇〇年の歴史」、あるいは四〇〇〇年、五〇〇〇年などともいわれています。だったら中国のほうが、よほど古い国ではないかと、不思議に思っても仕方ありません。

しかし、「中国三〇〇〇年」などというのは、まあ大ぼらの類い。三〇〇〇〜四〇〇〇年前の夏王朝や殷王朝などは確かに実在したのかもしれませんが、現在の中華人民共和国とのつながりはありません。

中国大陸では、秦が最初の統一王朝と考えられており、それは紀元前二二一年の話です。それ以後、王朝交代や離合集散を繰り返し、そのたびに前王朝の文化や正統性を全否定してきました。そして先ほども書きましたが、中華人民共和国の成立は一九四九年です。

歴史を遡ってみても、たとえば鎌倉時代後半に元寇を起こした元は、モンゴル人が建国した王朝です。また、映画「ラストエンペラー」の主人公である愛新覚羅溥儀が皇帝だった清は、満洲人（女真族）が建国しました。いずれも万里の長城の外から侵入した異民族であり、漢民族の王朝は異民族に征服され、途絶えているわけです。

中華思想のなかでは、モンゴル人も満洲人も中国人なのだと強弁していますが、国際的な常識では通用しません。

しかし、なんでもかんでも世界の中心でなければ気がすまない中国人とすれば、日本が「皇紀二六〇〇年」といえば、じゃ、自分たちは三〇〇〇年だ、という話になります。単なる見栄っ張りに過ぎないのです。

すると韓国は、神話の世界を含めて「朝鮮五〇〇〇年の歴史」などと言い出す始末。もう無視しておけばいいものを、親分の中国としては面白くないのでしょう。最近では中国四〇〇〇年の歴史どころか、五〇〇〇年とか六〇〇〇年の歴史などと言い出す者まで出ています。

ただ、それをいうなら、日本の縄文文化が一万年以上続いたことは、文字などの記録としては残っていませんが、科学的に証明されていますが。

現世さえ楽しめば魚は絶滅しても

中国人の一つの特性に、「現世さえ楽しめればいい」という価値観があります。これはさらに拡大して、将来のことはどうなるか分からないから、いまさえ、この瞬間さえよければ問題ないという考え方になり、さらに自己中心主義にもつながっていきます。

中国漁船（実際には海上民兵が乗り込む偽装漁船）が尖閣諸島近海にやってきたり、小笠原諸島で赤サンゴを強奪したりと、何かと中国の海洋進出が問題視されています。あるいは軍事施設を拡張している南シナ海でも、中国漁船がベトナムやフィリピン海域まで進出して問題化しています。さらには韓国の経済水域まで進出して、そこでも摩擦を引き起こし、取り締まりの際に韓国側には死者さえ出ています。

これは中国が海洋大国を目指していることと、まったく関係がないわけではありません。しかし実は、中国の沿岸では、一四億人もの胃袋を満たすため乱獲に歯止めがかからなくなり、もはや魚が獲れなくなっていることも大きく影響しています。そのため魚を求めて、外洋まで出なくてはならなくなったのです。

日本は長年の海洋国家なので、漁業資源を守るため、漁獲高に制限をかける、幼魚はリリースするといった、将来を見据えた配慮があります。しかし、中国人には将来のことを考えて漁獲高を調整しようという考えはありません。とにかく目先の利益さえ追えればいいのです。

近年、クロマグロやサンマといった漁業資源の枯渇が問題視され、日本がリーダーシップを取って、国際的に漁業資源を守ろうという動きが出ています。しかし、なかなかうまくいかないのは、中韓などの国々の協力が得られない点にあります。

「目先の欲得にとらわれず、将来を見据えて協調的に行動する賢明さも欠如しているのか」と、批判されても仕方ないでしょう。

す。

公害大国を生んだ中国人の発想

中国の沿岸部で漁獲高が激減した原因は乱獲だけでなく、もう一つ、環境汚染がありま

中国の公害問題は日本のメディアでもときどき取り上げられますが、ネットニュースの「新唐人テレビ」などで、大手メディアが報じない情報を収集すると、多くの日本人の想像をはるかに超える悲惨な実態があることが分かります。

かつて高度経済成長時代には、日本でも公害が社会問題化しました。一部の企業が利益を優先させたために公害が発生し、被害が大きくなりました。中国の場合は、近代化が急速に進んだことと、人口の多さと国土の広さ、加えて、他人の迷惑など何も考えない国民性もあるせいか、公害の規模は昔の日本の比ではありません。

北京などの大都市では、大気汚染物質の一つであるＰＭ２・５がクローズアップされていますが、地方都市や農村部では、生活排水や工場排水が垂れ流しにされ、河川や地下水を汚染しています。これが原因でがん発生率が異常に高くなっている「がん村」が、国内二三の省と五つの自治区すべてに、合計で二四七ヵ所も存在することを、中国環境保護部

が二〇一三年に認めています。また、奇形や身体欠損などの状態で生まれる赤ちゃんは、年間九〇万人に及ぶといいます。

環境汚染など気にすることなく、自分たちの利益追求を最優先させる中国人の考え方が、公害被害を大きくしているのです。

いかにも中国人らしいエピソードがあります。

中国の大気汚染が問題になったとき、ある国際会議で中国政府は、先進国、とりわけ煤煙（ばいえん）から有害物質を取り除く排煙脱硫装置の技術が発達している日本に、その技術協力や資金援助を求めてきたのです。

その会議の席上、中国政府の代表は、

「もし日本がその費用を出さなければ、中国は排煙を出してきた煙突の高さをこれまでの五〇メートルから一〇〇メートルに変える。そうなれば、日本に届く汚染された大気は、これまでの二倍になる」

と脅しをかけてきたのです。

世界各国の代表が揃う会議で、このような品性の欠片（かけら）もない発言を堂々と吐けるのも、他人の迷惑を顧みない中国人の厚顔（こうがん）ぶりを象徴しています。

王毅外相の厚顔無恥な発言

自己中心主義の中国人や韓国人は、自らの非をなかなか認めようとはしません。それどころか、批判を受けると逆上したり、責任を転嫁したりする言動に出ます。これが個人レベルならまだしも、国家レベルで幼稚な言動を繰り返すので、さすがに国際社会からも信用を失いつつあります。

現在、中国は対外膨張主義を続け、南シナ海や東シナ海で外国との摩擦を強めています。国際社会で孤立を深める状況については、いらだちを露わにしていますが、自業自得であるにもかかわらず、言い分が子どもじみていて、呆れます。

各国が集まる会合では、中国に批判が集中するのを極度に恐れ、神経を尖らせています。自らの覇権主義で緊張を高めているにもかかわらず、その責任を外に向ける言動が目立つのです。

たとえば二〇一六年五月のG７（先進七ヵ国首脳会議）の前後、中国の王毅外交部長（外相）は、対日強硬発言を繰り返していました。主要新聞は、その異常ともいえる強硬発言を伝えています。

たとえば、南シナ海問題で批判が集まると、「日本は南シナ海問題を大げさに騒ぎ、緊張を宣伝している。G7は世界経済を論議する場なのに、日本はそれを利用した。徹底的に反対する」

中国国内の、もはや政府のコントロールが利かない軍部と、その暴走に振り回される外交部という深刻な国内事情も垣間見られますが、いずれにしろ自ら紛争のタネを蒔いておいて、その責任を外国になすり付けるという厚顔無恥ぶりには、呆れるばかりです。

G20で見せた中国の幼児性

二〇一六年九月、中国の杭州で、第一一回G20（二〇ヵ国・地域による首脳会議）が開催されました。

南シナ海問題なども抱えており、政治的には何ら大きな進展はないだろうと、その内容には期待していませんでしたが、案の定、その通りになりました。

私が注目したのは、習近平国家主席やバラク・オバマ大統領、安倍総理の振る舞いや、中国当局がどのように各国首脳を迎えるかでした。中国としては、晴れの国際舞台で粗相があってはならず、面子にかけて、成功させなくてはなりません。現地からの事前情報でも、その緊張感が伝わってくるほどでした。

特に二〇一五年の九月に訪米した際、習近平国家主席はあまり歓待されたとはいえず、その「返礼」があるのでは、などと勘ぐっていました。そして案の定――。

それが意図的なのかミスなのかは不明ですが、アメリカの大統領専用機（エアフォース・ワン）が到着した際、通常なら出迎え側が用意すべき赤じゅうたんを敷いたタラップ（移動式の階段）が、用意されていなかったのです。

他国の首脳には外交儀礼にのっとって、タラップと赤じゅうたんが用意されています。しかし、オバマ大統領だけが、普段は使用しない乗降口から、機体に備え付けの階段を使って降り立ったのです。

これが中国当局による意図的なものかどうか、真相は不明です。しかし出迎える側のミスであれば、それはあまりにもお粗末であり、意図的な冷遇であれば、あまりにも幼稚です。

そして注目したいのは、その直後のトラブルです。大統領補佐官やアメリカの報道陣と中国の警備当局で、怒鳴り合いが起こったのです。神経を尖らせる中国警備員が、大統領補佐官や出迎えるアメリカ報道陣の移動を厳しく制限したとき、抗議の声が上がりました。

するとと中国の警備員が、「ここは、われわれの国だ」「ここは、われわれの空港だ」と怒鳴ったのです。

この非礼も、大国や先進国を自称したいのであれば、それにふさわしくない態度ですが、「われわれの国」という言い分には、朝貢を出迎えるかのような、上から目線の深層心理が透けて見えます。

その横柄な態度はテレビにも映し出されていますが、たとえ末端の職員だとしても、こういうところに中華思想が抜け切れない幼稚さが現れるのです。

さらに一部報道では、

「タラップを運ぶ運転手が英語を話せないのは、セキュリティ上問題があるとアメリカが指摘し、アメリカがタラップは自分たちで用意するといいだした」

などという中国当局関係者の話が伝えられています。

にわかには信じがたい話ではありますが、たとえそうであったとしても、中国の空港でのトラブルは、中国政府が責任を負わなければならないはず。何が何でも自らの非は認めず、他人に責任転嫁を行うメンタリティの強靭さには、ある意味で感心させられます。

大災害で国家ぐるみのヤラセ番組

中国人は、とにかく面子を保つためであれば、うわべを取り繕ってその場をしのぎます。この行動は、一般市民から役人にいたるまで浸透しています。

ですから、中国が発表する経済統計は、どれもこれも信用できません。

これは私の個人的見解ではありません。中国の李克強首相自身が、首相に就任する前、「中国の経済指標で信頼できるのは、電力消費量、鉄道貨物輸送量、中長期の銀行貸出額の三つである」と述べたのです。どう考えても、「その他は信用できない」という意味にしか取れません。

地方政府のお役人は、自分の保身と面子を保つためであれば、経済指標をよく見せかけるため、平気でデータを改竄します。本当にデータを取っているのかも怪しいのです。

毛沢東主席が農作物と鉄の生産量を倍増させる「大躍進政策」を推進したとき、農作物の収穫量について各地方から水増しデータが中央に報告され、それが原因で数千万人の餓死者を発生させました。中国人はその大失敗から何も学んでいません。

お役人ですらこのようなスタンスですから、民間の人間に「正直であろう」「誠実であろう」という考えが完全に欠落してしまっても、当然のことなのかもしれません。

たとえば二〇〇八年五月、四川省を襲った大地震。約七万人の死者を出した大災害ですが、このとき中国政府が、自らの政権への求心力を高めるために愛国心を煽り、そのためにヤラセを行ったと、「週刊新潮」（二〇〇八年五月二九日号）が伝えています。

まず政府は国内メディアに、次のようなお達しを出しています。

「人民解放軍や武装警察の部隊が苦難や犠牲を恐れず救援に当たる感動的な場面を強力に宣伝しなければならない」

その結果、テレビには、学生ボランティアが被災地に向かう姿や、義捐金が続々と集まる姿が映し出された。ところが、その大部分がヤラセだったことが、携帯電話で撮影された映像で、ばれてしまったのです。

……学校の敷地内に設置された募金箱。箱のなかに順番に紙幣を入れていく教師らしい男性の姿。それを撮影するテレビ局のカメラマン。紙幣を入れ終わると、カメラマンも加わって、みんなで箱から紙幣を取りだし、それが別の人間に手渡され、また順に並び、募金箱に入れていく。これが終わると再び紙幣が箱から取り出され、今度は数十人の生徒たちに手渡されていく――このシーンがネットに掲載され、募金のヤラセが発覚してしまったのです。

さらに震災翌日。北京オリンピックの聖火リレーが催されたのですが、そのなかで三人の聖火ランナーが募金するシーンがテレビで放映されます。しかし、大勢の視聴者の目はごまかせません。ランナーの手にお金が握られていないことが見破られてしまうのです。すると視聴者からの抗議の声が殺到し、カメラマンがランナーに「金を入れる仕草をして欲しい」と頼んで撮影したことが判明しました。

日本でもときどき、ヤラセのテレビ番組が問題になることがありますが、中国の場合は国家ぐるみで行われるところに、スケールの大きさが感じられます。

第二章　キリストも孔子も韓国人？

韓国が中華思想を受け入れたわけ

朝鮮半島も昔から儒教の強い影響下にあるため、韓国人も、やはり上下の秩序を重んじる国民性を持っています。加えて朝鮮民族の先人は、中華思想を全面的に受け入れるという道を選びました。

中華思想を維持する漢民族は、自分たちを周辺国より絶対的上位にある民族と位置付け、周辺国は文明化していない「野蛮人」だと決め付けています。何とも自意識過剰な選民思想であり、永遠に治らない「中二病」を患っているような民族です。そのため日本やベトナム、そして蒙古(モンゴル)などは反発し、対等外交を求める傾向が強かったのだと思います。

たとえば日本では、聖徳太子が隋の煬帝に送ったとされる国書のなかに、有名な「日出ずる處の天子、書を日没する處の天子に致す。恙なきや」という一文があります。

これは日本が、中国皇帝に従属することを意味する冊封体制を拒否し、あくまでも対等な外交を求める決意表明だったのです。

ところが朝鮮民族は違いました。中国皇帝に絶対服従し、儒教や中華思想を丸ごと採り入れました。中国にすり寄ることで、他の周辺国に対して優位性を保とうとしたのです。そして自分たちのことを「小中華」と自称しています。朝鮮半島は中国大陸から一番近い位置にあるので、中華思想に従えば、何の努力をしなくても、永遠にナンバー2（ツー）のポジションを得られると考えたわけです。

その結果、上位には世界の中心に座する中国だけがあり、朝鮮半島よりも距離が遠い日本は自らの立ち位置からは一段低い国と決め付けました。それで、「兄」である中国には媚（こ）びへつらい、「弟」であるべき日本に対しては一方的な優越感を持ち、高圧的な姿勢を取るようになったというわけです。

日本人ならこんな考えを「バカらしい」と思うかもしれませんが、この精神は現在でも、彼ら朝鮮民族のなかに脈々と生きているのです。

儒教思想に基づく上下関係を絶対と考える朝鮮人にしてみれば、日本が自分たちの上を行くことは、とても受け入れがたい屈辱……まさに、「対等」という概念が存在しない、儒教思想の呪いです。

拙著『まだＧＨＱの洗脳に縛られている日本人』（ＰＨＰ研究所）でも詳しく書きましたが、韓国（一九一〇年まで存在した大韓帝国）は、日本のおかげで清やロシアの属国的な地位から独立し、近代化を遂げることができました。

しかし韓国の歴史教科書にはそんな記述はなく、また韓国内でそのような発言を行えば、たちまち袋叩きに遭います。自尊心を保つためには、平気で嘘をつくのが韓国人です。

確かに憐(あわ)れみも感じますが、日本に実害が生じているので放置できません。事例を挙げながら説明していきましょう。

国連では実は中国も「敵国」?

中国が対外的なプロパガンダを国家ぐるみで行っているのは周知の事実ですが、各国首脳を招いて行った大規模な茶番劇が、「抗日戦争と世界反ファシズム勝利七〇周年記念式典」です。

二〇一五年九月三日、この大々的に催された「抗日戦争と世界反ファシズム勝利七〇周年記念式典」には、大きく分けて二つの意味があったと考えられます。一つ目は、中国共産党が世界に向けて自らの政権の正統性をアピールするプロパガンダです。

現在の世界秩序は、第二次世界大戦の「戦勝国」のために形成されました。国際連合安全保障理事会（国連安保理）の常任理事国は、もともと、アメリカ、イギリス、フランス、ソ連、中華民国の五ヵ国でした。

中国共産党は、蔣介石（しょうかいせき）が率いた国民党との「国共内戦」には、確かに勝利しました。しかし、共産党が「抗日戦争」に勝利したという話は歴史的事実に反するため、彼らの主張はいつも虚偽に満ち溢（みあふ）れています。

ところで、国連憲章には「敵国条項」と呼ばれる条項があります。詳細は書きませんが、第二次世界大戦中に米英仏ソ中を中心とする連合国の敵国だった日本、ドイツ、イタリアなどは、現代においても、国連で差別的待遇を受けています。

ちなみに、間違いなく連合国の一員だった中華民国（国民党政府）と、のちに中華人民共和国を建国した中国共産党は、もともと一九二七年から三七年まで、覇権（はけん）を争って内戦を戦っていました。第二次世界大戦中は休戦していただけであり、終戦後、再び内戦が始まりましたが、そうなると、中華人民共和国は国連憲章における「敵国」に該当すると解釈することも可能です。

いま中国は、国連安保理の常任理事国として偉そうに振る舞っていますから、この話を持ち出されることを恐れて、共産党政権の正統性を一生懸命アピールしているのかもしれません。

軍事パレードで披露された、史実を無視した寸劇の演出や、習近平の嘘だらけの演説内容など、茶番劇の詳細は『やっと自虐史観のアホらしさに気づいた日本人』（ＰＨＰ研究所）に書きましたので、そちらを読んで大笑いしてください。

そしてもう一つ、中国は、韓国の朴槿恵（パククネ）大統領を式典に参列させることを、非常に重要視していました。なぜでしょうか？

米中間を右往左往のコウモリ国家

「抗日戦争と世界反ファシズム勝利七〇周年記念式典」は政治的意味合いが強いうえに、歴史的事実を無視した行事だったため、日米をはじめとする、いわゆる西側諸国の首脳クラスはこぞって参加を見送るなか、西側の一員であるはずの韓国の朴大統領だけは参加しました。これは、未だに韓国が「儒教の呪い」から逃れられていない、あるいは「事大主義（じだいしゅぎ）」から逃れられない、象徴的なシーンだったと思います。

ちなみに「事大主義」とは、常に優勢な側の勢力を選んで接近し、自分の保護を願い出ることです。彼らは常に「ナンバー2」の地位でいたいのですが、ときどき「ナンバー

1(ワン)」が入れ替わるのが世の常なので、そのたびに見苦しく右往左往します。

韓国問題に詳しい評論家の室谷克実(むろたにかつみ)氏の表現を借りれば、韓国人は「優れた属国DNA」を持っているそうです。つまり、「虎の威を借る狐(きつね)」の役をやらせたら、韓国の右に出る者はいないということです。

中国にしてみれば、朝鮮戦争のあとすっかり西側の一員となっている韓国を、かつてのような属国として自らの陣営に引きずり込みたいという戦略がありました。それで、中国主導で設立した「アジアインフラ投資銀行（AIIB）」には、リスク担当副総裁というポストを韓国財界人に与えるという「アメ」をあげて参加させた。さすが中国は、韓国の扱いに慣れているとしかいいようがありません。日本も見習うべきです。

この韓国の、儒教に呪われた事大主義ぶりが、今度は米中のあいだで揺れ動きます。北朝鮮が核実験や弾道ミサイル発射実験を繰り返すなかで、背に腹は代えられないと考えた韓国は、再びアメリカにすり寄ったのです。

中国に遠慮してずっと渋っていた「高高度防衛ミサイル（THAAD）」の配備を韓国はついに決意したのですが、これに中国が猛反発。この反発に韓国政府や韓国世論も揺れ動きますが、二〇一六年七月、韓国政府はTHAADの配備を正式に決定します。

「中韓関係って、こんな脆いものだったのか」

「韓国は裏切りやがった！」

と、ネット上で中国世論も沸騰します。

ちなみに中国政府は、世論を操作する目的で、工作員を使ってネット上に大量の書き込みをさせていますから、どこまでが本当に中国人民の声なのかは分かりません。ただ中国の掲示板だけでなく、日本語のツイッターなどでも、工作活動は行われています。

さて、この韓国の裏切り行為に対し、中国はＡＩＩＢの副総裁のポストを剝奪します。中国における「韓流スター」の活動も制限されたそうです。中華圏入りを土俵際で踏みとどまり、米韓関係の修復を図ったところ、すっかり韓国の親分になったつもりだった中国から裏切り者扱いされ、「お仕置き」のような仕打ちを受けたわけです。

儒教の呪いにかかったコウモリ国家、韓国の悲哀を感じます。

味方を撃ち殺す中国の「督戦隊」

上下の序列が決まっている儒教国家では、この秩序を乱すことは許されません。野蛮な国が正統な王朝や上位国に戦いを挑むなどということは、すなわち犯罪にも等しいと、彼らは考えるのです。

そのため、かつて自国領土に侵入した日本は犯罪者であり、その烙印は永遠に押し付けておかねばならないというのが、中国人と韓国人に共通した心理です。日本的な「嫌な過去はお互いに水に流す」という考え方は、彼らの頭のなかにはまったく存在しません。

しかも、先祖の崇拝に絶対的価値観を置く儒教では、「先祖が対立状態にあった家同士は、たとえ孫子の代になったとしても、敵として恨み続けなさい」と教えます。また、過去に何らかの勝負で勝った側は、一〇〇年後も一〇〇〇年後も勝者ですが、その反面、負けた側は敗者として、孫子の代はおろか、永久に見下されるというシステムです。元総理の鳩山由紀夫氏がソウルの西大門刑務所の跡地の歴史館で土下座をしましたが、そんなことをすれば、一〇〇〇年間、「日本人はすべて罪人」という嘘を吹聴され続けます。

こんな事情があるため、中国人は、歴史を捏造、改竄までしてでも、「われわれは正義の戦いに勝利したのだ!」と強弁しなければならないのです。これが「抗日戦争と世界反ファシズム勝利七〇周年記念式典」の正体です。

しかし、歴史的事実を知る人間にとっては、まったくおかしな話です。茶番劇としかいいようがありません。欧米諸国の人々は、歴史的事実を完全に無視する中国人の態度を目の当たりにして、完全に「引いた」と思います。

日本がポツダム宣言を受諾して第二次世界大戦が終結したのは一九四五年です。では、中華人民共和国の建国は？　繰り返しになりますが、一九四九年です。正式に国家同士で交戦したのは、大日本帝国と中華民国（国民党政府）であって、中華人民共和国（共産党政府）ではありません。中華人民共和国などという国は、戦時中には存在しなかったのです。だから、「戦勝国」にはなれません。

確かに「国共合作」で、国民党軍と中国共産党軍は、共同戦線を張っていたことになっています。ところが中国共産党軍は、八路（パーロ）軍と呼ばれる部隊でゲリラ戦を挑みますが、正面切っての戦いは避けて、逃げに逃げまくります。つまり戦力を温存させ、いずれ対決するであろう国民党軍との戦いに備えていました。まともに日本軍と戦っても、勝てる見込みがなかったからです。

事実、毛沢東は、「日本軍のおかげで国共内戦に勝てた」と証言しています。ちなみに日本軍は、当時の「中国」である中華民国の正規軍、国民党軍との戦闘でも、ほとんど負けていません。

軍隊の強さは装備だけではなく、兵士たちの「士気」と「練度」で決まります。ですから、「公」のために尽くす意志を持たない中国人の軍隊が強いはずがないのです。国民党軍の最前線では脱走兵が相次ぐので、戦闘時に脱走兵を撃ち殺す役目の「督戦隊」と呼ばれる部隊が置かれていたほどです。

ちなみに現代の人民解放軍の兵士は、いまや「一人っ子政策」の第二世代の若者なので、両親や両方の祖父母（計六人）から「お前は唯一の跡継ぎなのだから絶対に死ぬな」といわれて軍人になるそうです。もし本当の戦争になったとしたら、人民解放軍の脱走率は、かなり高いものになるかもしれません……するとまた、「督戦隊」を配置するのかもしれませんが。

実際に、第二次世界大戦（大東亜戦争）で中国に負けたと考える日本人はほとんどおらず、「日本はアメリカに負けた」というのがおおよその共通認識でしょう。「アメリカの反則に負けた」と思っている日本人も多いと思います。正しい事実認識ですが、「反則勝ちでも勝ちは勝ち」というのが、戦争の現実です。

誰も知らない独立戦争を主張して

そして、本当に救いようがないのが韓国です。戦時中の朝鮮民族は日本の統治下にあって、全員が日本国籍を有し、大和民族とともに日本の勝利のために戦ったにもかかわらず、日本が戦争に負けるとあっさり裏切ったうえに戦勝国ヅラ……。

しかも韓国内では、「韓国は日本に独立戦争を挑み独立を勝ち取った」というのが共通認識なのだそうです。

信じがたいことに、これは韓国の歴史教科書にも書かれていることなので、ほとんどの韓国人が信じているようです。少なくともこの地球の歴史にはまったく存在しない事実ですから、きっと韓国人は異次元の世界から迷い込んだ民族なのでしょう。

韓国人の言い分としては、海外に臨時政府を打ち立てた「韓国光復軍」が連合国とともに日本軍と戦ったというのです。驚くべきことに、韓国の憲法は、それを前提に書かれています。

ただし、第二次世界大戦で多くの朝鮮半島出身者（一説には志願兵が約二〇万人）が、大日本帝国臣民として日本軍に加わったという事実には、まったく触れていません。

実際には、志願兵の入隊試験に落ちて絶望し、自殺した若者も出るくらい、帝国軍人になることは当時の朝鮮男性の憧れでした。そして朝鮮女性は、チマチョゴリ姿で千人針や慰問袋を作って、万歳三唱で帝国軍人を戦地へと送り出したのです。ＹｏｕＴｕｂｅを検索すれば、当時の動画が見られます。

臨時政府など、せいぜい独立運動団体に過ぎませんでした。安全保障関連法案が国会審議されていた当時、国会議事堂前のデモとメディアの偏向報道のお陰で一世を風靡(ふうび)した学生グループ「SEALDs（シールズ）」程度の影響力すらあったかどうか、まったくもって疑わしいのです。

そもそも大韓民国臨時政府のリーダーである李承晩(イスンマン)は、終戦までハワイに住んでいました。彼が連合国とともに日本軍と戦った記録など何ひとつ残っていません。戦後、李承晩政権がサンフランシスコ平和条約に戦勝国として参加させてもらえるよう連合国に求めましたが、当然、この要望は却下されました。

「韓国は戦勝国ではない」という歴史的事実は、ここで確定しています。

「小中華思想」のなかでやたら高くした自尊心から戦勝国であると自称していますが、その歴史観は世界のなかではまったく認められていません。

すぐにバレる嘘をついてでも他者に認められたいという、彼らの異常なまでの承認欲求の強さは、両親に愛されずに育った不幸な生い立ちの子どもを見ているようで、憐(あわれ)みすら覚えます。

外交儀礼違反の告げ口も辞さず

上下の区別が峻烈な中華思想のなかで、韓国は、中国という永遠の宗主様と、一方的に下位に見る日本のあいだに挟まって、苦しい立場に立たされています。

朝鮮民族は自らを中華思想の一角を担う者と自負していましたが、中国は、日本と同じ「東夷」としてしか扱いません。

一方、日本は中華思想には染まっていませんから、朝鮮半島の韓国や北朝鮮を崇め奉る姿勢はまったくありません。それだけでも悔しいのに、世界を広く見渡すと、日本は人気の的！　経済的にも文化的にも韓国のはるか上と認識されているので、悔しさ倍増。そうなると、どうしても日本を貶めたくなってきます。

どうせ頑張っても追いつけないなら、引きずり下ろせばいいという負け犬の発想ですが、目先の満足を得るためには、恥も外聞もありません。

こうした背景があって始まったのが、朴槿恵政権による「告げ口外交」です。

この告げ口外交は、二〇一三年あたりから始まります。いわゆる慰安婦問題など日韓のあいだに横たわる歴史問題で、韓国は、第三国で日本の悪口をいいふらす戦術に出たのです。

これこそまさしく、儒教的な事大主義から来る愚行といえるでしょう。

いくら日本に謝罪と賠償を要求されても、歴史上存在しない事実を日本政府が認めるわけにはいきません。かつて宮沢喜一総理や河野洋平官房長官が、ろくに事実関係を確認せずに謝罪したのは大失態です。そのうえ、そもそも韓国の要求は「日韓基本条約」という国家間の約束を反故にするものですから、とうてい受け入れられるものではありません。

それでも駄々っ子みたいな要求を突き付ける韓国は、第三国に向けて日本を貶めるプロパガンダを行うことにしました。朴槿恵大統領は海外の要人やメディアに対し、盛んに日本の悪口をいってまわります。

聞くところによると、これは朝鮮民族にはよくあることらしいです。朝鮮のことわざには、「嘘も上手くつけば稲田千坪にも優る」というものがあります。孔子の時代はいざ知らず、現代の中国人や韓国人に「嘘つきは泥棒の始まり」という考え方はないのです。

さすがに外国首脳で、韓国の告げ口に賛同した人はいないでしょう。アメリカでは、韓国の告げ口外交は、明白に外交儀礼に反する行為という見方をしていました。

ちなみに、選挙で当選するために韓国の手先のような行動をずっと取ってきたカリフォルニア州選出のマイク・ホンダ下院議員は、二〇一六年一一月の選挙で、ついに落選しました。使い捨てにされたという印象です。

世界の常識から見れば異常な告げ口外交も、朝鮮民族のあいだでは、古くから見られる行動パターンなのだそうです。少しでも味方を増やして自らを強者の立場にしたいようですが、敵を恨み貶め続けるという儒教思想を外交に持ち込む異常性は、少なくとも国際社会の表舞台では、逆効果にしかならなかったと思います。

安倍総理と朴大統領の待遇に大差

韓国は、華夷（かい）思想から見て下に位置する日本を、何がなんでも国際的にも貶めたいという意欲に満ち溢れています。悲しいことに、自分たちの努力の方向性が完全に間違っているという現実に、気付く様子がありません。

二〇一四年四月に修学旅行生を乗せたセウォル号が沈没し、多くの若者が犠牲になった悲劇のあと、韓国を訪れたローマ法王フランシスコ卿（きょう）は、「韓国国民がこのセウォル号の悲劇を道徳的（＝倫理的）、霊的（＝精神的）に生まれ変わるための機会としてとらえることを望む」と発言しています。

ローマ法王は、このセウォル号事件を、単なる一人の船長の犯罪というレベルではなく、韓国人すべてに根づいた病巣の表れだと見抜いているのです。

ローマ法王の望みとは裏腹に、韓国人は、日本を永遠に跪かせたい。日本の戦争責任をとことんまで追及し、悪逆非道な国として、何としても国際的に認知させたい。そう考え続けているようです。その思惑は中国とも一致しています。

だから中国などは、ありもしない「南京大虐殺」を騒ぎ立て、第二次世界大戦の戦死者は三〇〇〇万人以上だった、などという妄想を語るのです。

日本を貶めようとする動きは、アメリカでの慰安婦の少女像設置にも見えます。韓国系と中国系のアメリカ人が連繫して、活発に活動しているのです。

とにかく韓国としては、国際的に日本の評判が高まることを防ぎたい一心です。特にタカ派と見る（韓国人は極右とレッテル貼りをしますが）安倍晋三総理の評判を、何とか落としたくて仕方ありません。

その動きがあからさまに出たのが、二〇一五年四月の安倍総理のアメリカ訪問のときでした。このときの安倍総理の訪米は国賓待遇で、アメリカ連邦議会の上下両院合同会議での演説が予定されていました。日本の首相がアメリカ議会で演説するのは、一九六一年のます。

池田勇人総理以来、五四年ぶりとなり、しかも上下両院ともなれば、初めてのことになります。

そこで面白くないのが韓国。韓国の朴槿恵大統領が訪米しても、そのような「栄誉」は与えられないからです。

常に日本だけには負けたくない韓国としては、アメリカ議会で安倍総理に外交的得点を与えたくありません。そこでまず、安倍総理の議会演説阻止に動きます。在米韓国人を中心に盛んにロビー活動を行いますが、結局は失敗に終わりました。

すると今度は、演説の内容に干渉しようとします。朴槿恵大統領以下、韓国政府の要人が、安倍総理の演説に対し、繰り返し牽制します。

「日本の総理はアメリカ議会での演説で、過去を認め謝罪すべきだ」

「安倍演説は侵略、植民地支配、従軍慰安婦に関し、すでに認めた立場を具体的な表現で触れるべきだ」

韓国にしてみれば、なんとかアメリカの力を借りて日本を貶めたかったのですが、その目論見は外れます。

安倍総理の演説は、アメリカ国内ではおおむね好評でした。明確に批判したのは中国、韓国、そして日本の左翼的なマスコミくらい。韓国は、そのすぐあとに朴大統領の訪米が予定されていたため、やや控えめでしたが、尹炳世（ユンビョンセ）外相は、「正しい歴史認識を示す絶好の機会を逃し残念だ」（日本経済新聞二〇一五年五月一日付）と、悔しさをにじませています。

何としても日米の分断を図りたい中国も、批判的なコメントを残しています。そして、その後の朴大統領の訪米は、安倍総理ほどは歓迎されず、公式晩餐会（ばんさんかい）すら開かれず、告げ口外交も不発に終わっています。

賠償金の代わりにＯＤＡを

韓国の執拗な「謝罪と賠償」の要求は、まったく筋が通らないという話は、これまでの著書のなかでも明らかにしてきました。本書では、謝罪と賠償の要求に関して、日本が他国とどういう処理をしてきたかについて、紹介しておきましょう。

サンフランシスコ講和条約が一九五二年四月二八日に発効したことで、日本は戦後の国際社会に復帰しました。連合国のうち、アメリカやイギリス、さらに中華民国といった主要国は、対日賠償請求権を放棄しています。

ここには、第一次世界大戦後、ドイツに対して行った戦後処理があまりにも過酷だったせいで、ドイツ国民が不満を持ち、それがナチスの台頭を許して、第二次世界大戦勃発の遠因になったという反省があります。

自由主義経済圏と共産主義経済圏が対立する冷戦構造も、日本にとっては有利に働きました。日本は巨額の賠償の支払いを免除されたことで、戦後の奇跡に近い経済復興を成し遂げることが可能になりました。

もっとも、東南アジアなどの発展途上国には、国際援助などの名目で、事実上の賠償を支払ったケースもあります。

現在の中国、すなわち中華人民共和国は、一九七二年の日中国交正常化において、表向きは戦後賠償を放棄していますが（本当は終戦時に国家が存在しなかったのでおかしな話です）、そこはしたたかな中国……「賠償請求権は放棄したのだから」とばかりに、政府開発援助（ＯＤＡ）などで、日本から多額の資金を受けています。

これらの資金は中国国内のインフラ整備などに使われましたが、本来なら自国でまかなうべき資金を日本に出してもらい、その分を軍備増強に使ったという見方もできます。好意で相手に渡したお金が武器購入に使われ、資金提供した側に銃口が向けられる、そんな皮肉な結果になっているといえるのです。

さらに中国は、日本からの援助に対して感謝の気持ちを持っていません。これは第三章でも説明しますが、儒教に根差した中華思想そのものに原因があります。

韓国に対しては、詳細はあとで述べますが、一九六五年の日韓基本条約で、支払う必要のない巨額の資金を、「独立祝い金」という名目で提供しています。

ブレア首相が天皇に見せた騎士道

では、ほかの国から日本に対する個人補償の請求はなかったのでしょうか。

たとえばイギリスでは、イギリス人の元捕虜が、日本政府に要求したケースがありました。一九九八年の天皇陛下ご訪英の際も、元捕虜が抗議デモを行いました。しかし、イギリスと日本のあいだでは、捕虜の戦後補償について解決していることになっています。ですから、補償を求める元捕虜の方々の怒りも、日本だけでなく、「問題は解決済み」とするイギリス政府にも向けられているのが実情です。

イギリス人捕虜が虐待に遭ったと主張する状況を精査してみると、確かに元捕虜の方々には同情を禁じ得ません。少ない食糧でガリガリに痩せこけた写真を見たときは、私も衝撃を受けました。きっと非人道的な扱いを受けたのだろうと、最初は思いました。

しかし、です。地域によって状況は異なりますが、当時の戦場で、日本軍の陣地に満足に食糧が行き渡った場所など皆無に等しいのです。

日米の悲劇的な戦争が勃発(ぼっぱつ)した理由も、連合国による締めつけ、いわゆる「ＡＢＣＤ包囲網」に一因があります。ルーズベルト大統領は、明らかに日本を挑発したのです。この仕打ちによって、日本には石油が入らなくなりましたが、同時に戦場における食糧輸送にも大きな障害が出てきます。

戦術的にも、兵站(へいたん)の妨害、つまり武器弾薬や食糧の輸送ルートを破壊し、最前線の日本軍を兵糧(ひょうろう)攻(ぜ)めにすることが日常的に行われました。そのため日本軍では、餓死する兵士が続出しています。

激戦地として有名なソロモン諸島のガダルカナル島は、戦闘による戦死者よりも、餓えや伝染病で亡くなった日本兵が多く、「餓島(がとう)」とも呼ばれました。

そのような状況下において、捕虜にも日本兵と同等の食糧を提供しろという人道的な処置を要求できるものでしょうか。しかも、イギリス人は通常、日本人よりも体格がよく、その身体を維持するには相当量の食事が必要ですが、日本軍にそんな余裕があったとは思えません。

　日本兵にも餓死者が出るような状況下で、いくら戦勝国でも、そこまで責任を追及できるものでしょうか。ここでは詳細を省きますが、日本人捕虜がイギリス軍によって、もっと過酷な虐待に遭ったケースもあります。

　こうした背景のもと、天皇陛下訪英時のブレア首相は、「忘れはしないが、そうした感情が日英関係を損なうのはよくない」との見解を述べ、未来志向の日英関係を強調しています。いつまで経っても「謝罪しろ、補償しろ」など、根拠のないことで騒ぎ立てる品性の劣る国々とは違い、イギリスは紳士の国であり、騎士道精神の国であると思います。

一〇〇〇年忘れないなら元寇は？

　儒教精神から道徳心や倫理観が失われ、何もかも残らなかったかというと、そうではありません。「公」よりも「孝」、すなわち家族や一族を上に置く価値観から、やがて「私」が第一となり、自分中心主義が現れてきました。

「自分の利益のためならばどんな嘘でもつく」

「自分に間違いがあっても絶対に謝らない」

「何があっても悪いのは自分ではなく相手である」

……このような身勝手な思考回路が生まれてきたのです。

日本人同士の場合なら、謝ればお互いに水に流すというケースでも、儒教に呪われた中韓の人間は、謝ったほうは自分から罪を認めた「罪人」であり、謝罪した相手の格下に半永久的に隷属（れいぞく）すると認識します。だからこそ、彼らは容易に謝ったりしない反面、どのような手段を使ってでも相手に謝らせようとするのです。

「植民地支配」や「慰安婦問題」など、いわゆる歴史問題で、日本は韓国に対して、必要がないのに謝罪を繰り返してきました。中国に対しても、侵略戦争を理由に謝罪を繰り返しています。

日本人の感覚からすれば、そこからは未来志向の新しい関係が始まるものと考えます。しかし中国人や韓国人は、「永久に謝罪し続けろ」「謝ったということは私たちの歴史認識が正しいと認めたのだ」というように捉えます。

朴槿恵大統領は、二〇一三年の抗日運動の記念日に、「加害者と被害者の立場は一〇〇〇年経っても変わらない」と発言しました。

謝罪を続ける日本からいくらでも金を引き出そうとする「被害者ビジネス」を、これからも続けるという宣言にも等しいものでした。

彼女の発言が場当たり的で、極めて理不尽(りふじん)であることは、過去一〇〇〇年のあいだに、東アジアで何があったのかを振り返れば分かります。

モンゴル人が建国した元が日本に侵攻した「元寇」には、属国である高麗(こうらい)軍、すなわち韓国人の先祖が加わっていました。そして彼らは、対馬(つしま)の住民を大量虐殺しています。それからまだ一〇〇〇年経過していませんが、韓国がこの件に関して公式に謝罪したことがあるでしょうか。

もっと近年の事例を挙げましょう。

一九五〇年、南北朝鮮が激突する朝鮮戦争が勃発します。そのとき突如、中国の人民義勇軍が参戦します。北朝鮮軍の側についた一〇〇万ともいわれる事実上の中国共産党軍は、朝鮮半島を蹂躙(じゅうりん)し、韓国は多大な被害を受けます。

国連軍としてこの戦争に参加したアメリカも、四万人もの戦死者を出しています。一歩間違えば私の父も、その戦死者のなかに名前を連ねる可能性がありました。

韓国では民間人も含めた大量の死者を出します。南北合わせて五〇〇万人もの朝鮮人が死亡したともいわれます。

この朝鮮戦争で大被害を受けた韓国は、中国に「謝罪と賠償」を求めたことがあったでしょうか。そして中国は韓国に「謝罪と賠償」をしたでしょうか。

韓国は、敗戦国となった弱い立場の日本には強く出ますが、事大主義のため、強い立場である中国には強気に出られないのです。

韓国人がノーベル賞を取れぬ理由

儒教と「小中華思想」からすれば、格下であるはずの日本が自分たちより上に行くことは、韓国人にとって耐えがたい屈辱です。そのため、あらゆる分野における日本への対抗心には、異常とも映るほど強いものがあります。

スポーツの日韓戦で、韓国選手が勝利に執着するのは、自分たちより上を行く日本に対する強いコンプレックスが背景にあります。

もちろんスポーツだけではありません。文化や芸術、経済すべてに至ります。

二〇〇四年、韓国社会が大いに沸き立ちました。韓国の黄禹錫(ファンウソク)教授が、ヒトクローン胚(はい)からの胚性幹細胞（ES細胞）の作製を、世界で初めて成功させたというニュースが駆け巡り、韓国人は狂喜乱舞したのです。

なぜか？　実はノーベル賞の科学部門で、韓国人の受賞者は過去に一人も出ていないのです。唯一、平和賞で受賞した金大中元大統領は、その後、果たして受賞にふさわしかったのかという疑惑すら出ている始末。まあ、オバマ大統領も同様ですが……。

そんな状況下で、「科学分野で初のノーベル賞受賞確実」となる偉業を韓国人が成し遂げたということで、韓国内は沸き立ち、黄教授は英雄扱いされました。ところが論文が捏造されていたことが発覚。韓国内を大いに失望させたのです。ノーベル賞への期待が高かった分、「捏造博士」へのバッシングはかなり強いものになりました。

もっとも日本でも、似たような事件が起きています。ＳＴＡＰ細胞を作製したという理系女子がいましたが、この論文ものちに捏造だったことが発覚しました。

興味深いのが、論文を捏造した二人のその後です。日本の理系女子は、のちに手記を出版しましたが、科学分野で再び表舞台に立つことは難しいでしょう。ところが韓国の黄教授は有罪判決を受け、大学から追放されたものの、いまも医学界で健在なのです。

日本やアメリカの常識では考えられないことですが、韓国では論文の捏造や盗用は日常茶飯事なので、時間が経てばいくらでも復権できるというのです。

二〇一六年までにノーベル賞を受賞した日本人は二五人。うち科学部門は二二人。毎年、日本人の受賞者が出るたびに、韓国では羨望(せんぼう)とコンプレックスの情念が渦巻いています。

ノーベル賞の科学分野で受賞者がいないという事実に、強い劣等感を抱く韓国は、欧米から著名な科学者やノーベル賞受賞学者などを招いて、科学者の育成に多大なコストをかけています。

目的は、もちろんノーベル賞受賞。国家目標の一つにもなっているようです。

これなら、ひょっとしたらいつかは韓国も、科学分野でノーベル賞受賞者が出るかもしれません。ただし、日本のレベルまで到達できるかどうかは疑問です。

なぜなら、日本人と韓国人の科学者の意識には、大きな違いがあるからです。

韓国人は、とにかくノーベル賞を取りたい——これが第一の目標になっています。日本人のノーベル賞受賞者にも、賞の獲得を目指して頑張ってきた方々は多いでしょう。しかし、日本人ノーベル賞受賞者の多くは、

「自分の研究で、誰かが幸せになってくれたらいい」

「人類のために何かをしたかった」

そんな言葉を口にします。つまり利他の精神——自分よりもまず他人のことを考えると

いう日本人の美徳そのものが、ノーベル賞を数多く受賞している最大の要因だと、アメリカ人の私には思えるのです。

そしてこの利他の精神は、自己中心主義の中国人や韓国人には、まったく存在していません。常に自分自身と身内の利益しか考えていないのです。

イタリアで受けた大ブーイング

韓国が日本を妬む材料には事欠きません。最近では、二〇二〇年の東京オリンピック招致運動と開催決定に、一部の韓国人が猛反発しました。

二〇二〇年の東京オリンピック開催が決定したのは、二〇一三年でした。招致運動が繰り広げられているなか、韓国の市民団体は盛んに「東京オリンピック開催阻止」運動を展開します。

日本国内で行われているヘイトスピーチを根拠に、「東京には開催する資格がない」という書簡を、ＩＯＣ（国際オリンピック委員会）や各国メディアに送りつけました。その努力もむなしく東京オリンピック開催が決定すると、今度は東京電力福島第一原子力発電所の放射性物質漏れを理由にボイコットを呼びかける始末……。

韓国のことわざに、「いとこが田畑を買えばお腹が痛い」というものがあります。「いとこ」という身内が収めた成功ですら妬みに思うような民族性なのですから、一方的に敵視している日本が国際的に高い評価を受けることなど、体の具合が本気で悪くなるほど悔しくて、妬ましくて、どうにも仕方がないのです。ここで詳しくは書きませんが、興味のある方は「火病(ファビョン)」で検索してみてください。

思えば一九八八年の「幻の名古屋オリンピック」。このときはソウルでの開催が決まりましたが、名古屋は早くから招致運動を行っていて、「日本での開催は嫌だ」と、あとからソウルが名乗りを上げました。「日本での開催は認めない」という、韓国のもの凄い執念が、ソウルオリンピックを実現させたといっても過言ではないでしょう。

同様のことは、二〇〇二年のFIFAワールドカップでも起こっています。それまでサッカーのワールドカップは、ヨーロッパと南北アメリカのみの開催でしたが、FIFA会長が初めてアジアでの開催を提唱。さっそく日本での開催を打診します。

しかし、「アジア初のワールドカップ」が日本で開催されることに嫉妬した韓国が猛烈に巻き返して、日韓共同開催となった……。FIFAという組織が腐敗しきっていたことはご存じの通りですから、相当な金額の賄賂がFIFAの幹部に渡ったことでしょう。

さらに、審判の買収にも余念がなかったらしく、韓国は数々の「謎の判定」を経て、最終的にベスト4という成績を残しました。

これには後日談があります。決勝トーナメントの一回戦で韓国と対戦し、不可思議な判定で退場者まで出して敗退したのがイタリアでした。すると二〇一三年五月にイタリアで行われたサッカーのコッパ・イタリア決勝式典で、世界的なヒット曲「江南スタイル」を歌った歌手PSYに対し、観客からは激しいブーイングが浴びせられました。二〇〇二年の試合がそれほど酷いものであり、イタリア人はその恨みを決して忘れていなかった、ということでしょう。

「パパラッチ制度」も嫉妬心から

嫉妬心や執着心は誰にでも多少はあるものです。しかしその病的なレベルについていえば、韓国人が世界一だと思います。

韓国人が持つ異常な競争心、嫉妬心は、同じ韓国人にも向けられるといいます。これは儒学の流れを汲む朱子学の影響が強いようです。朱子学は物事を「正」と「邪」に明確に分けるので、上下のランク付けで負けてしまったほうは「邪」ということになり、精神的にとても耐えられないのだそうです。韓国が大変な競争社会で、受験や出世競争がとても厳しい原因も、儒教思想に根差しているというわけです。

この点について産経新聞ソウル駐在客員論説委員の黒田勝弘（くろだかつひろ）氏が、雑誌「SAPIO」（二〇一六年七月号）に興味深い記事を書いています。

記事によると、韓国人は自分が努力してのし上がることよりも、ライバルの足を引っ張って上に行こうとする傾向が強いというのです。他人や同僚を誉めることは決してしないし、他人に対する誉め言葉を聞くと、露骨に嫌な顔をしがちだとか。日本の少年マンガに多々登場する、ライバルがお互いに競い合いながら成長していくストーリーは、韓国の若者の胸には響かないのかもしれません。

また韓国社会では、役所などに他人を非難して通報するといった、告げ口が異常に多いと聞きます。社会全体が告げ口体質になっているのです。

それどころか韓国には、通称「パパラッチ制度」というものがあります。これは申告報奨金制度のことで、犯罪現場を写真に収めたり、あるいは証拠を提出すると、報奨金がもらえるのです。対象は、脱税や食品偽装からタバコのポイ捨てまで幅広く、何十種類もあります。

加えて偽証罪は、その摘発数が日本の一六五倍。「虚偽告訴罪(誣告罪)」という、他人に嘘の罪をなすりつける犯罪も、年間三〇〇〇件を超えています。はっきりいって韓国は「密告社会」であるうえに、「嘘つき大国」なのです。

そんな国が国際社会では、貶める対象として、日本をターゲットにしているのです。そしてその原点は、コンプレックスであり、嫉妬心であり、嘘に対する罪悪感のなさです。

何でも韓国発祥の「ウリジナル」

韓国人のコンプレックスは、別の形でも現れています。

中国は自分たちより上でも、日本は格下でなければならない——これが朝鮮民族のメンタリティです。ところが経済でも学術でも日本には負けっぱなし。さらに文化でも日本には誇れるものがたくさんあるのに、韓国には目ぼしいものがない……。

そこでどうしたかというと、お得意の歴史捏造と盗用です。つまり日本の伝統とされる文化は、実は韓国が発祥だと言い出したのです。

確かに仏教や漢字などは中国大陸から日本に伝来しました。朝鮮半島を経由したものもあるかもしれません。しかし日本発祥の文化を「韓国が教えてやった」と強弁する姿は、醜(みにく)さを通り越して、憐(あわ)れです。

韓国人が、「わが国が発祥だ」と力説する日本的要素を挙げると、歌舞伎、ソメイヨシノ、茶道、折り紙、侍、日本刀、剣道、相撲、寿司やしゃぶしゃぶなどの和食……。

一般市民がジョークでいっているのではなく、大手メディアや学者まで真顔で言い出すものだから、もうここまで来ると、お笑いでは済まないレベルです。

この「何でも韓国発祥説」は、朝鮮語で「われわれ」を意味する「ウリ」に、「オリジナル」を組み合わせて「ウリジナル」と揶揄(やゆ)されており、そのうちキリストも孔子も韓国人だなどと主張するのではないかと心配されます。

そんな彼らは、もともと日本文化など「格下の種族のもの」という見方でした。ところが日本固有の文化が世界的に評価されてくると、どうにも面白くない。そこで日本の優れた文化は何が何でも自分たちが教えてやったのだと強弁しなければ、優越意識が満たされなくなったのです。このような妄想の世界で生きなければならないほど、彼らの精神は病んでいるのでしょう。

憐れみも感じますが、「同情するなら金をくれ!」といわれそうなので、私ならできるだけ関わりません。

このような儒教の呪いにかかった韓国では、やはり「公」の精神が著しく欠けます。それを示す事件も韓国内で頻発しています。

二〇一六年一一月、韓国のKBSニュース（電子版）が驚くべき犯罪を伝えました。何と在韓アメリカ軍に納入する燃料を、あろうことか、安物の別物にすり替えていたというのです。そして、その差額、およそ六億円を不正に取得したというのです。

その手口は大胆そのもの――。給油所でアメリカ軍が発注した軽油をタンク車に満載。このタンク車にはGPS（衛星利用測位システム）発信機が取り付けてあるものの、容疑者たちはこの発信機を取り外し別の車に取り付けます。そうして監視の目をすり抜けたタンク車はガソリンスタンドに軽油を納品、代わりに安価な灯油を満載し、その後発信機を付けた車と合流、発信機を元通り付けて、アメリカ軍へ届ける。その差額分を懐に入れていたのです。

在韓アメリカ軍相手に、あまりに大胆な手口……しかし、この事件で驚くのは、その規模です。検挙された容疑者は四四人ですが、これが一グループの犯行ではないのです。一人が不正に利益をむさぼれば、「あいつがそういうことをやるなら俺だって」と、次々に真似する業者が続出したらしいのです。

ここまで来れば、一部の不心得者の仕業というより、その背景にある儒教国家特有の国民性が災いしているとしかいえないでしょう。

歴史もストーリーありきの韓国

反日活動を激化させる中国人や韓国人は、特に歴史問題においては、「歴史を直視しろ」「歴史を改竄するな」と声高に叫びます。しかし歴史を改竄してきたのは、むしろ中国や韓国のほうです。加えて北朝鮮でも、抗日運動の英雄を経て建国の父になったとされる金日成は、ソ連が用意した替え玉であるという説が有力です。

「特亜三国」には、「歴史認識における不都合な事実からは目を逸らす」という共通点があるようです。

二〇〇五年、それまでの古代史の常識を覆す発見が、ソウルでありました。日本独自の古墳形式であると思われていた前方後円墳が発見されたのです。そこで日韓合同の調査チームが結成され、発掘作業が始まります。

当初、韓国側としては、「前方後円墳は、韓国が発祥。そこから日本へ伝わった」というシナリオを描いて発掘作業に臨んだのでしょう。何でもかんでも韓国発祥、われわれが日本人に教えてやったのだ、ということを力説したがる方々ですから。

ところが発掘を進めるうちに、その前方後円墳は、日本のそれよりも新しい時代に造られた墳墓（ふんぼ）であることが分かってきました。しかも、どうやら埋葬されているのは倭人（わじん）（日本人）……そうなると、韓国にしてみれば大問題です。前方後円墳は韓国発祥どころか、その時代、朝鮮半島のこの地を治めていたのは日本人ということになりかねません。墳墓とは、その地の支配者が埋葬されるところですから。

そこで韓国側調査隊は、日本側に発表を待ってくれと頼んだそうです。そして、「朝鮮の豪族に仕えていた日本人家臣の墓」という発表を一方的にやってしまった……果たして家臣が前方後円墳まで造ってもらえるものかどうか、素人（しろうと）でも疑問が湧くところですが。

その後、調査はどこまで進んだのかは不明ですが、古墳は元通りに埋め戻されてしまいました。

その前方後円墳がどういう意味合いのものかは明確には分かりません。ただ、韓国側にとって都合が悪くなると、とにかく隠蔽（いんぺい）しよう、見なかったことにしようという、明確な意思があることは分かります。二〇一五年にＴＢＳワシントン支局長の山口敬之（やまぐちのりゆき）氏が「週刊文春」（四月二日号）のスクープ記事で明らかにした一件、韓国軍がベトナム戦争中、サイゴン（現ホーチミン）市に韓国兵専用の「慰安所」を運営していたという事実にも、完全に頬被り（ほおかぶ）りをしています。

さて、過去にも日韓歴史共同研究は行われています。韓国が日本の教科書の記述にクレームをつけたことが発端でした。

拙著『まだGHQの洗脳に縛られている日本人』でも紹介したエピソードですが、この研究会に参画した筑波大学の古田博司（ふるたひろし）教授が当時の模様を語っています。日韓双方の研究者の意見が対立したとき、日本人研究者が、

「資料をご覧になってください」

と発言すると、韓国側研究者は興奮して立ち上がり、

「韓国に対する愛情はないのかーっ！」

と怒鳴ったのだそうです。

古田教授は指摘します。

「民族的感情を満足させるストーリーがまずあって、それに都合のいい資料を貼りつけてくるだけなので、それ以外の様々な資料を検討していくと、矛盾（むじゅん）、欠落、誤読がいっぱい出てくる。要するに『自分が正しい』というところからすべてが始まっており、その本

質は何かといえば『自己絶対主義』に他ならず、したがって何をやろうと彼らの『正義』は揺らがない」

まさに華夷秩序で、上位の都合ですべてが決まる、上位の者の地位安泰のためなら歴史改竄も認められるという論理。このような儒教思考が国際常識から大きく逸脱していることに疑念の余地はありません。

皇室を敬う安重根がなぜ英雄に

大連市旅順の郊外に、観光スポットとして「旅順日露監獄旧址博物館」があります。一九〇二年にロシアが建造を始め、日露戦争のあと日本が拡張工事を行った監獄を、博物館として利用しているのです。

中国共産党の政治犯などが投獄され、いまでは愛国教育のスポットになっていますが、ここには韓国人観光客も多く訪れます。ある一角には数多くの花束が捧げられ、なかには遺影の前で額ずく韓国人観光客の姿も見られます。

ここは、韓国人が義士と仰ぐ安重根が処刑された地でもあるのです。

立場が違えば人物評価もまるで違ってきますが、日本ではテロリストとされる安重根も、韓国では義士として英雄扱いされています。しかし、安重根を義士と見る韓国人も、安重根の一面しか見ていません。日本人にもあまり知られていない隠された歴史が、そこにはあるのです。

まず、安重根が独立運動派だったのは間違いありませんが、決して反日思想の持ち主ではなかった。このことは、韓国人のみならず、日本人でも知る人は少ないようです。

その安重根は、明治天皇を始めとする日本の皇室に敬意を払っていました。また、日本が韓国（大韓帝国）皇太子の教育に力添えをしたことに対しても、「感謝している」と述べています。

さらに日清戦争と日露戦争も、東洋平和のため、朝鮮の独立のためにはやむを得なかったと肯定的に捉えています。何より日韓が協力して西欧列強の侵略に対抗すべきだとする考えを持っていました。日本を敵視してはいないのです。

のちの第二次世界大戦（大東亜戦争）のとき、日韓併合で日本国籍を得た朝鮮半島出身者が、帝国陸海軍に二〇万人も志願しましたが、彼らと同じ志があったということです。

安重根の思想は、日本の対外戦争の思想の淵源となった「大東亜共栄圏」や「八紘一宇（はっこういちう）」の精神と重なるのです。

安重根が誤解していたのは、伊藤博文が明治天皇の大御心を無視する逆臣だと考えていたことです。付け加えると、韓国併合に最後まで反対していた伊藤という親韓派の大物政治家が暗殺されたことで、併合賛成派が優勢になり、韓国併合が実現したのです。しかも、安重根が「感謝している」とした韓国皇太子の日本留学の世話をしたのは伊藤だった……それらのことを安が知っていたのかどうか。

安重根を義士と讃える韓国人には、一面的な情報しか伝えられていないのでしょう。こうした歴史的背景を知ったうえで、韓国人はまだ彼をヒーロー視できるのでしょうか。憎い日本の大物政治家を暗殺した人物だからヒーローだなんて、不都合な真実には目をつむりたがる韓国人の特性をよく示しています。

どんな理由があろうとも、外国の要人を暗殺するような人物は、テロリストと呼ばれるのが当然です。

韓国はテロリスト支援国家か

テロリストといえば、二〇一五年三月に韓国で重大なテロ事件が発生しました。

駐韓アメリカ大使のマーク・リッパート氏が、ソウル市内の会合の席で暴漢に刃物で襲われたのです。大使は、命を落とす危険があったほどの重傷を、顔と腕に負いました。

犯人は政治団体代表の金基宗(キムギジョン)で、動機は在韓米軍軍事演習への抗議。反米思想の持ち主であると同時に、反日思想も持ち合わせていて、二〇一〇年には当時の駐韓日本大使である重家俊範(しげいえとしのり)氏にレンガを投げつけ、同席していた女性の一等書記官にケガを負わせる事件を起こしています。

活動家としての前科が六犯もあったのですが、このような人物が、なぜリッパート大使が出席する朝食会の会場に入れたのか。セキュリティ上の問題も大きく指摘されました。

それ以上に問題なのが、日本大使を襲撃したとき、韓国の反日メディアや世論は、この犯人を英雄扱いしていたことです。しかも裁判では、執行猶予(ゆうよ)付きの判決が出ました。もし実刑判決で収監していれば、二〇一五年のアメリカ大使襲撃事件は防げたかもしれないわけです。

さらに、日本大使襲撃で名を上げた犯人の政治団体に、資金援助をする団体がいくつか現れたことも問題です。これでは韓国は、テロ支援国家と呼ばれても仕方がありません。

日本大使が襲われたときは、ケガの重大性に差があったとはいえ、当時の李明博(イミョンバク)大統領ではなく、柳明桓(ユミョンファン)外交通商部長官から謝罪の電話があっただけ……被害者がアメリカ大使のときには、朴槿恵大統領自ら、電話でお見舞いと謝罪を行いました。

アメリカ大使襲撃後は、さすがに犯人を英雄視する声は聞かれません。日本人がテロのターゲットなら大喜びだけど、アメリカを敵に回すのは怖い——卑劣なテロ事件のなかにさえも、韓国はまさに事大主義の一面を見せてくれます。

大統領が不幸な最期を迎えるわけ

二〇一六年秋、朴槿恵大統領が長年の親友である崔順実（チェスンシル）氏に、国家機密を漏らしていたということで、怒りに燃えた韓国国民がソウル市内で一〇〇万人規模のデモを起こし、大統領に辞任を求めました。

最初にこの報道に接したときは、大統領の演説原稿を友人が添削していた程度の話に、「なぜ韓国人はそこまで大騒ぎするのだろう？」と思いました。しかし実際には、あらゆる政治問題で崔氏は朴大統領にアドバイスを与え、利権をむさぼり、大統領は事実上の操り人形のような状態だったと考えられています。

韓国の大統領は任期五年間の一期のみで、再選は認められません。大統領には、任期中に刑事訴追されない特権があり、この時点で朴大統領の任期は一年以上残っていました。

もし大統領を辞任すれば、恐らく数日以内に逮捕されて、世間のさらし者にされたうえ、裁判では有罪を免れないはずです。

韓国・済州島出身で、日本に帰化された現在はすっかり大和撫子である、拓殖大学の呉善花教授は「国民情緒法」と表現されていましたが、韓国の裁判所や検察は、法律よりも国民の感情を重視して行動します。三〇代以下の支持率が〇%にまで落ち込んだ朴槿恵大統領の場合は、長期の実刑判決が下るかもしれません。

そんな最悪の近未来が予想できる状況で、日本人が好む「潔さ」に価値観を見出さない韓国人の大統領が、そう簡単に辞任したりはしないと思いました。結局、弾劾裁判の開始が決定しましたが、亡命のチャンスでも狙っていたのではないでしょうか。

朴槿恵氏は独立後七一年強の韓国で、一一人目の大統領です。韓国の大統領は在任中に暗殺される、退任後に自身や身内が刑事捜査によって逮捕・起訴されて有罪判決を受ける、自殺する、あるいは糾弾を受けて亡命するなどして、不幸な末路を迎えた例が一〇名中八名。ちなみに残る二人は、軍事クーデターで政権を追われています。

初代の李承晩大統領は「李承晩ライン」を引いて日本から竹島を強奪した人物ですが、最終的には不正選挙が明るみに出て、海外亡命を余儀なくされました。長期政権を誇った朴正熙（パクチョンヒ）大統領（朴槿恵大統領の父親）の場合、夫人と本人が暗殺されています。

民衆が蜂起した光州事件を制圧した軍人である全斗煥（チョンドゥファン）、そして盧泰愚（ノテウ）の両大統領は、クーデターを通じて掌握した軍事政権が終了し、韓国が民主化したあとに、不正蓄財と民主化運動弾圧の罪で逮捕・投獄。最終的には恩赦になりましたが、一時はそれぞれ死刑と無期懲役の判決を受けました。

金泳三（キムヨンサム）大統領は次男が斡旋収賄（あっせんしゅうわい）と脱税で逮捕。ノーベル平和賞を受賞した金大中大統領は三人の息子たちが権力を悪用した不正蓄財で逮捕・投獄。盧武鉉（ノムヒョン）大統領は、兄である盧建平（ノゴンピョン）の逮捕と金銭疑惑で自殺。李明博大統領は斡旋収賄で兄の李相得（イサンドゥク）が逮捕されています。

韓国大手紙の「朝鮮日報」（二〇一六年一一月五日付）は、一九九三年に文民政権が発足して以後、五人すべての大統領やその親族が不正蓄財事件を起こし続ける問題の原因を、大統領の親類や側近が「帝王的大統領制」とされる韓国大統領の圧倒的な権力によって、「虎の威を借る」ことが可能な制度にあると指摘しています。

また「朝鮮日報」は、朴槿恵政権における崔順実氏の事件発覚以降も、まだ発覚していない連中は、「自分だけは例外」だと信じて不正をしているはずだと、韓国の大統領制度そのものを批判しています。

しかし私は、強権的な大統領制度の問題ではなく、韓国人の国民性を育んだ儒教や事大主義に立ち返って問題の本質を捉えない限り、韓国は今後も同じ過ちを繰り返すと確信しています。いまのままでは、近い将来に自滅するしか選択肢はないでしょう。

もう一つつけ加えると、日本で同じような事態が発生したとしても、果たしてこれほどの大規模デモが発生したかどうか疑問です。

ある意味、日本は「平和ボケ」しているともいえますが、韓国の場合は縁故社会であると同時に、韓国人は、その特権階級に対する嫉妬心が強いのです。

特に朴槿恵大統領の支持率は四パーセントまで落ち込みましたが、三〇代以下に限っては、なんと支持率〇パーセント！　推測するに、これは崔順実氏の娘の不正入学のせいではないでしょうか。

学歴社会の韓国では、日本では想像もつかないほど受験戦争が熾烈(しれつ)です。その洗礼を受けた若者の嫉妬心が、この支持率〇パーセントに現れているとしか思えません。

特権階級があらゆる利権を握る構図と、それに激しく嫉妬する民衆という歪(ゆが)んだ社会構造が、そこには垣間見られます。それもこれも、儒教の呪いがなせる業(わざ)です。

第三章　中国・韓国の自己中心主義の裏側

日本のＯＤＡに感謝しない理由

冊封（さくほう）体制によって、中国は、隷属（れいぞく）していると見下した周辺国に朝貢をさせました。つまり中国に定期的に貢ぎ物を納めるのであれば、その者を世界の中心である皇帝の臣下として認め、同時に、その地域の支配者としても認めてやるというシステムです。

古代中国の周辺国では、自らの地位を保つため、中国に平伏する国もありました。その代表が事大主義の朝鮮半島の国々であり、現代でいえば韓国です。また現在の北朝鮮は、地政学上、西側との緩衝（かんしょう）地帯としての役割があるので、中国からは保護すべき国として優遇されています。それをよく理解している金正恩（キムジョンウン）は、やりたい放題やっています。

中華思想は、対外的に強烈な優越意識を持つことで支えられていますが、数千年に及ぶ長い歴史で積み上げられたこの過剰な自意識は、一朝一夕（いっちょういっせき）には改まらないようです。

たとえば中国には、日本から多額の援助金が渡っています。政府開発援助（ＯＤＡ）だけでも、一九七九年以降、三兆円以上にのぼっています。これは外務省のホームページに詳細が載っているので、ぜひ確認していただきたいと思います。

一般的に、ＯＤＡに限らず、海外からの援助によって橋や道路、あるいは空港や港といったインフラが完成すると、援助してくれた外国に対して感謝の意を示すものです。日本人やアメリカ人の感覚であれば、これは当然のことでしょう。人間関係においても、誰かに助けてもらえば、当たり前のように謝辞を述べるものです。そのためODAで完成したインフラには、その国への謝意を示したプレートが飾られるのが通常です。

たとえばフィリピンのマニラ国際空港（現ニノイ・アキノ国際空港）には、
「このターミナルビルは日本の政府開発援助（ODA）により一九九九年八月に完成しました」
といった文言（もんごん）が記されています。

さらにインフラが完成、あるいは開通したときなどの式典には、援助国の代表を招きスピーチをしてもらうのが慣例です。これは国際親善の常識といえるでしょう。

しかし、儒教的な考えで厳しい序列を定め、中華思想、小中華思想に染まった国家には、そのような常識が欠如しているようです。

もっといえば彼らは、「発展途上国が先進国から援助してもらうのは当たり前だ」と考えているのかもしれません。とりわけ中韓の指導者は、中華思想の華夷秩序の呪縛（じゅばく）から逃れられないので、それこそ日本からの援助は、「朝貢」だとでも見ているのではないでしょうか。

中国で完成したインフラには、日本からの援助であるという文言は見当たりません。そのため現地の人間も、日本の援助で作られたものであることを知りません。

完成式典には、さすがに日本の大使館関係者などは招かれますが、そこでは日本への謝意が述べられることも、日本側の人間にスピーチしてもらうこともありません。

たとえば中国の新幹線には、日本の技術が導入されています。もともと中国政府には、日本の技術を全面的に導入しようという考えがありました。しかし実際には、日本やフランスなど欧州勢の技術を様々に採用。そうして出来上がったのが中国の新幹線です。

それにもかかわらず、日本から技術支援を受けたことは、世界の中心たる中国の沽券（こけん）に関わると考えたのでしょう。国内では「中国が独自に開発した技術だ」と強弁し、それを多くの中国人が信じ込んでいるのです。

日本はそんな屈辱的な扱いを受け続けても、文句もいわずに様々な援助を続けた結果、中国は節約できた予算で軍事大国化し、日本の安全を正面から脅かす存在になりました。ODAを担当してきた日本の官僚や政治家は、いまごろどのような気持ちなのかインタビューしてみたいです。もしかしたら彼らは、中国人と長く付き合ううちに、思想や行動様式まで「中国式」になったのではないかと勘ぐってしまいます。

日本の支援金で韓国政府は何を？

日本からの援助など当たり前ととらえ、感謝の意などまったく示していない国としては、韓国も挙げられます。その失礼極まりない態度に関していえば、長年の宗主国だった中国以上かもしれません。

これは拙著『まだGHQの洗脳に縛られている日本人』でも触れましたが、日本はいわゆる韓国併合以来、劣悪だった朝鮮半島の衛生状態を大幅に改善し、一般庶民にまで教育を施し、金銭面その他でも多大な援助を行ってきました。しかし、韓国人は歴史を歪曲し、受けた恩への感謝どころか、日本への批難を続けています。

いわゆる日本統治時代、日本はインフラ整備のために、朝鮮半島に多額の投資を行いました。その資産額は、現在の価値で総額六〇兆円を超えているともいわれますが、一九六五年の日韓基本条約で日本は、その資産をすべて放棄しています。国際法に則れば堂々と請求する権利があったにもかかわらず、それを放棄したのです。

ちなみにオランダは、インドネシアが独立するときに、三五〇年間にも及ぶ植民統治時代に整備したインフラ資産の代金だけでなく、インドネシアの独立戦争に対抗するためにオランダ側が使った戦費まで請求したそうです。

商売上手なオランダ人は、お金にシビアです。「ワリカン」のことを英語で「ダッチ・ペイ」という理由が分かると思います。

話が逸れました。何度でも書きますが、一九六五年の日韓基本条約締結時に、日本はインフラ整備費の請求権を放棄しただけでなく、「独立祝い金」として、韓国の当時の国家予算二年分以上の資金援助を行っています。その援助をもとに、韓国は「漢江（ハンガン）の奇跡」といわれる経済成長を遂げたのです。

当時の日本人としては、自分たちが戦争に負けて朝鮮半島を放棄したせいで朝鮮戦争が勃発し、韓国人には余計な苦労を掛けたと、詫びる気持ちがあったのかもしれません。そうでなければ、こんな椀飯振る舞い（おうばんぶるまい）は考えにくいです。しかし、日本からそれほど多額の援助があった事実は、韓国国民には伝えられませんでした。

反日を政権の浮揚力にしてきた手前、華夷秩序においては下位に位置する日本からの援助は、韓国政府の面子を潰すことになると考えたのかもしれません。

そして、この援助金のなかから、韓国政府は、終戦までは日本国籍で、戦後に韓国籍となった元帝国軍人や軍属、あるいは官吏などの未払い給与や、恩給その他の個人補償分を支払う約束でした。

しかし、当時の朴正熙大統領は、日本政府との約束を実行せず、ほとんどすべてを自国の経済基盤整備のために使用したのです。要するに、戦後の個人補償に充てられるべき金銭を、韓国政府がネコババしたわけですが、日韓とも、この事実を知らない国民が多いようです。

「日本の援助は迷惑だった」

二〇〇六年、韓国の通貨ウォンの上昇によって、経済界に大きな危機が訪れました。その危機に際し、日本は二兆円にものぼる資金を融通しています。しかしこのとき、こともあろうに韓国の政府高官は、感謝の言葉どころか、「日本の援助は迷惑だった」という暴言を吐いています。

それだけではありません。今度は二〇〇八年に、韓国を通貨危機が襲います。前年の世界同時不況の影響から、韓国ウォンが暴落したのです。このときも日本は三兆円もの資金援助を行っています。

ところがこのときも、韓国政府から感謝の言葉はなし……それどころか日本への不満の言葉が伝えられます。

韓国の企画財政部長官である尹増鉉(ユンジュンヒョン)が、

「韓国が厳しいときに外貨を融通してくれたのは、アメリカ、中国、日本のなかで、日本が最後だ。日本は出し惜しみをしている気がする。アジア諸国が日本にふがいなさを感じる所以(ゆえん)だ」

と発言したのです。

まさに恥知らず、感謝知らずとはこのこと。私は韓国のニュースに接するとき、井上陽水さんの懐かしの名曲、「感謝知らずの女」のフレーズが頭をよぎったことが何度もあります。

銃弾を自衛隊から借りた末に

中華思想による階層社会の下で、下位に位置する者から受ける物資には、感謝の念を持つことなく、「当然だ」という態度をとるのが、韓国の伝統です。李氏朝鮮時代には、両班(ヤンバン)と呼ばれた貴族階層は、白丁(ペクチョン)と呼ばれた下位の者から、自分が欲しいものを奪い取る権利を持っていたのです。

兄が弟からおもちゃを取り上げたり、おかずを一品奪ったりするのは、貧しくて子どもの躾もできない最下層の家庭ではありがちなことかもしれませんが、李氏朝鮮時代は国家としてそのような伝統があり、上位の者が下位の者に謝意を示すことなど屈辱だったのです。そのような伝統的思想が、現代韓国人の行動のなかにも垣間見えます。

それが明確に示された出来事が二〇一三年末に起こりました。

南スーダンに国連平和維持活動（ＰＫＯ）部隊として派遣されている自衛隊に、韓国軍から「小銃弾の供与」が要請されます。当時の新聞報道によると、敵に囲まれた韓国軍は弾薬が不足し、そこで「一万発の小銃弾を貸して欲しい」という要望が日本に来ました。

日本には武器輸出三原則があり、銃弾の外国部隊への供与は認めていませんでした。しかし日本政府は、緊急性があることや人道的配慮から、武器輸出三原則の例外として、銃弾の無償供与を決定します。

銃弾が韓国軍に到着したとき、韓国部隊は自衛隊に感謝の電話を入れます。

「日本隊のご協力に感謝します。この弾薬は日本隊と韓国隊の強い絆の象徴です」

という内容だったといいます。

　ところが同じころ、ソウルで記者会見に臨んだ韓国政府高官の発言は、日本隊からの報告とは食い違う内容でした。

「追加防御の意味で国連に弾薬の支援を要請し、国連を通じて支援を受けたというのがすべてだ。それ以上でもそれ以下でもない」

……日本隊に銃弾供与を直接依頼した事実を否定したのです。

　そもそもPKOの最前線で銃弾が不足するというのは、韓国軍の大きな失態です。面子を保つための強がりもあったのでしょう。

　さらに韓国としては、安倍政権の積極的平和主義に対する警戒感もあります。この銃弾供与は、その安倍政権が掲げる政策を、よりによって韓国軍が世界に知らしめる役割を果たしてしまったのです。反日を国是（こくぜ）とする国内からの反発を恐れたのでしょう。

　そこには国際協力に積極的に貢献している日本の、引き立て役に回ってしまった悔しさがにじみ出ています。「いとこが田畑を買えばお腹が痛い」のです。

　しかも面子を保つため、日本側に対し、「銃弾供与の事実を公表しないでくれ」という依頼もあったとか……しかし日本政府がそこまで韓国の面子を守らなければならない理由はありません。

歴史の改竄は歴代皇帝の伝統

中国の皇帝は、天命によって就くという思想があります。天に成り代わって、「徳」のある人物が天下を治めるというわけです。

天によって選ばれる皇帝ですから、それは選び抜かれた徳のある聖人でなくてはなりません。しかし、歴代の中国皇帝はそれを逆手（さかて）にとって、皇帝のやることに間違いはない、どんなに悪く見えることを行っても、それは本当は悪いことではない、そう強弁してきたのです。

中国には、「易姓革命（えきせいかくめい）」といって、天子の徳がなくなれば、天が王朝を見限り、革命が起きるという、儒教に基づいた考え方があります。そのため、新しく皇帝の座に就いた者がまずやることは、歴史の改竄です。つまり、自らが皇帝の地位に就いた正統性を裏付けるために、前の為政者の不徳を書き連ねるのです。

もっとも、これはどこの国でも大なり小なり見受けられる光景です。ちなみに私の母国であるアメリカにも、

「ワシントン大統領は、自らの失政を前大統領のせいにしなかった唯一の大統領だ」

などというジョークもあります。そりゃあ、ワシントンは初代ですからね。

ただし中国の場合は、あまりにも度が過ぎるのです。前政権のせいにするだけでなく、自らの失政や悪逆行為を周囲のせいにしてしまう目に余る言動も、その原因をたどれば、儒教に行き着くわけです。

チベットを解放したなら出ていけ

中国は、二〇一五年、「抗日戦争と世界反ファシズム勝利七〇周年記念式典」を行いました。まず、日本が負けたのはアメリカだけであるというのが大方の日本人の見方でしょうが、それはさて置いて、その席で中国は「反ファシズム」という言葉を繰り返し強調しました。

現代においてファシズム、すなわち全体主義といえば、どの国を一番に想像するでしょうか。小さな新興国を除けば、中国こそがその筆頭ではないでしょうか。

南シナ海や東シナ海で見せる覇権主義も、中国は、「我が国の領土の保全と平和を守るためだ」と強弁しています。

その膨張主義に警戒感を示す周辺国に対しては、「東アジアの平和を脅(おびや)かす行為だ」

と、まるで相手のほうが悪いかのような発言……毎度のこととはいえ、盗人猛々しいとはこのことをいうのでしょう。

戦争がひとたび起これば、当事者はいかに自国に正義があるのかを国際社会に訴えます。しかし中国の言い分は、平時でも明らかな嘘ばかりです。この現代において明らかな嘘を平然と言い放って恥じない姿は、もはや「あっぱれ」としかいいようがありません。

その一つが、チベット侵攻を正当化しようとする言い分です。

一九五九年のチベット蜂起の様子は、当時チベットに住んでいたペマ・ギャルポさんが講演などで繰り返し話されています。あるいはペマさんの著書『中国が隠し続けるチベットの真実』（扶桑社新書）や『迷走日本外交に物申す！』（北星堂書店）などに詳しい記述があるので、ぜひお読みください。

概略を書きますと、チベット騒乱では八万七〇〇〇人もの死者が出ています。

一九五〇年代に入ってチベット侵略を始めた当時、中国はその名目を、「チベットをアメリカの帝国主義から守るため」だといいました。帝国主義反対は中国の憲法の条文にも明記されているそうです。しかし本当は、中国の共産主義からこそ、チベットは守られるべきでした。

その後、中国はこれを、「チベットの農奴を解放するため」という言い分に変えてきました。これもお笑い種（ぐさ）です。

なぜならチベット人は、その多くが遊牧民です。中国がいうところの農奴など存在しませんでした。小作人はいましたが、抑圧され搾取（さくしゅ）される農奴とは、性質がまったく違います。

「アメリカの帝国主義から守るため」「農奴を解放するため」というなら、その目的が達成されたあと、さっさと撤退すればいいではないですか。チベットは、国際常識からすれば、明らかな独立国家だったのですから（もっとも中国は、チベットはもともと中国の領土だったという、国際常識から逸脱した認識を持っています）。

そしてチベットに対する抑圧は、現在でも続いています。デモで抗議の声を上げただけの人に「テロリスト」や「犯罪者」というレッテルを貼り、虐殺しています。これはいまでも続いている、まぎれもない事実です。第一章でも述べたように、一四〇人を超えるチベット僧たちが、抗議の焼身自殺を図ってきました。

こんな国が、いまでは国連安保理の常任理事国となり、「反ファシズム」「反軍国主義」を唱えているのですから、何をかいわんや、です。

儒教の死生観と日本の死生観

毎年、夏になると靖国神社の参拝に関して、日本のメディアは、「総理大臣が参拝するのか」「閣僚や国会議員のなかで誰が参拝したか」というニュースを取り上げます。中国と韓国が日本の為政者の靖国神社参拝に対して神経を尖らせ、反発しているという背景があるからでしょう。しかし本当は、大きく報じる必要のない事柄です。

終戦後も、日本の歴代総理大臣は靖国神社を当然のこととして参拝し、少なくとも大平正芳総理の時代までは、誰もそれを問題視しませんでした。

これが日中や日韓の摩擦のタネとなってしまった原因には、日本の反日メディアが関わっていますが、この点に関しては第五章で述べることにします。

もう一つ、中国や韓国が靖国神社の参拝に反発する理由の一つに、儒教に基づく死生観と、日本人の死生観の違いがあります。

古代中国人は次のような考え方を持っていました——「人間は精神（魂）と肉体から成り立っており、死とはこの二つが分離することである」と。死によって肉体から離れた魂は消えることなく、いずれ肉体と共存するようになれば、再び蘇ることができる、そう考えていたのです。

これは儒教における先祖崇拝と密接な関係にあり、中国人が家族や親族だけを信頼し、他人に信頼を置かない気質も、そこから来ているといわれます。

一方、日本人の死生観に大きな影響を与えた仏教では、死後の世界は、生前の世界から完全に解放されると解釈しています。そして、別の世界に生まれ変わったり、あるいは別の人間や別の生き物に生まれ変わるとしています。

このように、仏教的思想の日本と儒教的思想の中国・韓国とでは、死者に対する解釈が大きく違います。

日本ではたとえ罪人であっても、死んでしまえばその罪から解放されると考えます。しかし中国人や韓国人はそうは考えません。罪人はたとえ死んでも、永遠に罪人なのです。だから中国人や韓国人にしてみれば、靖国神社に祀(まつ)られている「A級戦犯」は、終戦から何百年経っても絶対に許されない存在なのです。

彼らには「罪を憎んで人を憎まず」という概念が欠如しているのです。

ちなみにA級戦犯など、いわゆる戦争犯罪者とされた方々は、もはや犯罪者ではないことを、多くの日本人は知りません。一九五三（昭和二八）年八月三日、衆議院本会議で可決した「戦争犯罪による受刑者の赦免に関する決議」において、すべての戦犯には恩赦が求められ、すべての戦争犯罪は許されたのです。

　この国会決議は、与野党問わず全会一致で賛成されました。当時、社会党や共産党の国会議員ですら、「日本に戦犯などいない」と考えたわけです。仮に恩赦を受けた人々が戦争犯罪の当事者だったとしても、その直接の被害を受けたわけでもない戦後生まれの人間に、どうして「Ａ級戦犯が云々」などと語る資格があるのでしょうか。

　一方、中国人や韓国人は、先祖崇拝という呪縛から逃れられないため、亡くなった日本兵の魂が祀られている靖国神社に為政者が参拝すると、「戦争礼賛」「軍国主義の復活」「歴史修正主義」といった目で見るのでしょう。被害妄想が強すぎるのです。

　このような儒教的思考に追随し、靖国神社参拝を悪とする日本のメディアは、ＧＨＱ（連合国軍最高司令官総司令部）が施した「ウォー・ギルト・インフォメーション・プログラム（ＷＧＩＰ）」というマインドコントロールから抜け出せないでいます。

なぜ遺体までバラバラにするのか

日本人の宗教観では、たとえ罪人や敵として戦った相手でも、死んでしまえば遺体を丁重に葬ります。死者の祟りを恐れるという心理も働いているようですが、遺体への礼節を常に持っています。

他方、中国人や韓国人には、その点が欠けています。つまり前項で述べたように、「死者はやがて蘇る」という儒教的思想から来るのでしょう。ですから、一度戦った憎い敵は、たとえ死んでも憎しみの対象のまま……もし魂が戻ってきても決して復活できないようにと、遺体をバラバラにしたりもします。

こうした行いは、とりわけ東アジアの儒教文化圏に多いように思えます。しかし、日本人は敵味方を問わず、死者に対して慰霊の念を忘れません。

先の大戦で、海外でも多数の戦死者を出した日本軍は、現地に慰霊碑を建てています。その対象は、何も日本人だけではありません。敵として戦った相手、あるいは戦災に巻き込まれた現地の方々をも祀っています。

たとえば、映画『戦場にかける橋』で有名になったタイのカンチャナブリには、戦場にかける泰緬鉄道の鉄橋の難工事で亡くなった方々への慰霊の塔が、橋の近くに建立されています。

難工事で亡くなった日本軍関係者だけでなく、捕虜として労働を強いられて亡くなった連合軍兵士、そして現地で雇われ亡くなった「ロームシャ（労務者）」（もちろん強制労働ではありません）たちを分け隔てなく祀っているのです。

敵と味方を分け隔てなく祀ることなど、おそらく中国人や韓国人には、まったく理解できないと思います。

ちなみに、このひっそりとたたずむ慰霊の塔の近くには、見事に整備された連合国軍兵士の墓地があります。観光客も多く訪れ、ＪＥＡＴＨ戦争博物館もあります。そこを覗く（のぞ）と、日本軍がいかに東南アジアを「ＩＮＶＡＤＥ（侵略）」したかの説明があります。しかし、なぜ連合国軍がこの地にいたのか、すなわち欧米諸国による植民地化の歴史についての説明は書かれていません。戦勝国によって歴史は描かれる見本のようなものでした。

特攻隊員の遺体にミズーリ艦長は

話は戻りますが、死んでしまえば敵であっても丁重に葬るというしきたりは、日本以外の国でも見受けられます。

たとえばウズベキスタンなどソ連の支配下にあった地域のなかには、戦後、強制連行されて収容所に入れられた日本軍兵士の墓地があります。捕虜を強制労働させるのは、国際法に違反します。これについては後に、ロシアのエリツィン大統領が遺憾の意を表明しましたが、五七万人もの日本軍兵士と関係者が強制労働に従事させられ、そのうち一割弱もの方々が、過酷な労働、劣悪な環境、粗悪な食事のため、命を落としています。

その方々のために、ウズベキスタンなどでは、立派な墓が建立されています。ソ連政府はそれをよしとはしませんでしたが、心ある方々が遠く祖国を離れた日本兵を気の毒に思い、墓を守り続けてくれているのです。

では、欧米人たちは日本をどうとらえていたのでしょうか。

一つ、興味深いエピソードがあります。

太平洋戦争の緒となったハワイ真珠湾。ここには太平洋戦争の記録を残す博物館の類いがいくつもあります。

戦勝国であるアメリカが建てたものですが、実に忠実に、というか公平に歴史を解説しています。国際情勢を客観的に分析し、なぜ日米が戦わなければならない状況に追い込まれてしまったかを提示。そして、日本軍と日本兵に対するリスペクトも欠かしていません。ラグビーでいう「ノーサイド」の精神が生きています。

一方、中国国内にある同様の博物館や歴史記念館などでは、いかに日本人と日本軍が悪辣で残虐非道な行いをしたかだけを強調しています。そして、日本が一方的に侵略戦争を仕掛けたなどという捏造歴史のオンパレード……。しかし、アメリカは違います。真珠湾の博物館には、これら捏造の歴史とはまったく違う展示物があります。

その一つに、戦艦ミズーリ記念館があります。戦艦ミズーリは太平洋戦争では対日戦に参加しましたが、最も有名なのは、日本の降伏文書への調印がこの艦上で行われたことです。

調印が行われた艦の前方には、記念プレートがあります。しかし、艦の後方にあるプレートと、そこで解説されている、ある特攻隊員のエピソードは、日本でもあまり知られていません。

プレートの近くの右舷サイドにわずかな凹みがあります。これは沖縄戦に参加した戦艦ミズーリに、神風特攻隊の零戦が体当たりした痕跡です。ミズーリにはほとんど損傷がありませんでしたが、零戦の搭乗員は戦死。その亡骸がミズーリの甲板に投げ出されました。

すると、血気にはやったアメリカ軍兵士たちが亡骸を蹴りつけました。生きるか死ぬかの戦場でのこと、たったいま目の前で自分たちを殺しにかかってきた敵兵の死体ですから、その憎悪の念も致し方ないでしょう。

その兵士たちを一喝したのが、ミズーリ号の艦長です。

「やめろ！　その若者は、われわれと同じだ。祖国のためにわれわれの艦に突入したのだ。彼は英雄ではないか！」

兵士たちは、ハッと我に返ります。そして一夜で赤と白の布で旭日旗を作り上げ、特攻で戦死した日本の若者の亡骸をていねいに包み、正式なアメリカ海軍葬に付したのです。

その記録は、ミズーリ号の甲板に、戦死した一九歳の日本軍兵士の写真とともに飾られています。もし真珠湾に行かれる際にはぜひ見ていただきたいですし、その様子は青山繁晴さんが著した『青山繁晴の「逆転」ガイド　その1　ハワイ真珠湾の巻』（ワニブックス）に詳細に記されているので、お読みいただければと思います。

アメリカ人も、たとえ戦いの最中であっても、冷静でありさえすれば、敵兵の亡骸に敬意を表します。騎士道精神の名残かもしれません。加えて、キリスト教のもっとも重要な教えは「汝の敵を愛せよ」です。

ただし残念ながら、先の大戦の戦場では、米兵による冷静さを欠いた行動も数多くありました。日本兵の頭蓋骨など遺体の一部を、「土産」や「コレクション」として持ち帰る米兵がいたのです。これは戦時中からアメリカ国内でも議論を呼び、米軍はこのような行為を懲戒処分の対象にするという命令を出しています。

二〇一六年一二月、安倍総理がハワイ真珠湾を訪問しました。真珠湾はいうまでもなく、太平洋戦争の緒戦となった場所。日米の不幸な時代の幕開けとなった地を、日本の総理が慰霊に訪れたという意義は大きいといえましょう。

それまでの一二月八日の慰霊祭では、米軍関係者だけがアメリカ側の犠牲者の慰霊だけを行ってきましたが、この年は初めて日本の関係者も訪れ、日米双方の犠牲者の霊を慰めたのです。

これは中国や韓国とのあいだでは考えられないことでしょう。儒教の呪いにかかった彼らが、お互いの戦争犠牲者を一緒に慰霊することなどありえません。

このことによって、世界に日米同盟の絆の強さを改めて示したわけですが、この事実は中国には少なからずショックを与えたのではないでしょうか。中国は、とにかく日米間に楔(くさび)を打ち込みたくて仕方がないのです。

青山繁晴さんの著書にも記述がありますが、真珠湾の各記念館には多くのガイドがいます。しかしそのなかには、中国の工作員と思(おぼ)しき連中も紛(まぎ)れ込んでいます。日本をあくまで戦争犯罪国と位置付けたい中国の思惑がにおいます。

岳飛の廟で中国人が唾を吐く相手

一方で中国や韓国には、敵の亡骸に敬意を表するという考え方が、根本的に存在しないようです。

「死者に鞭打つ」という言葉がありますが、これは中国の春秋時代に、「復讐を果たすべき相手にやっとたどり着いたが、既に死んでいたため、その墓を暴き、死体を三〇〇回鞭で打って恨みを晴らした」という話から生まれた言葉です。

内戦に敗れた蔣介石率いる国民党軍も、台湾に逃れてきた際には、現地の人々の尊敬を集めて建立された日本人の銅像だけでなく、墓地までも暴いて破壊しました。

中国人のメンタリティについてもう一つ例を挙げましょう。一二世紀の宋の武将である岳飛は、異民族の侵攻から国を救った英雄として、中国の人々に慕われています。一方で、岳飛を陰謀によって獄死させた秦檜は、売国奴として憎まれているとのこと。杭州市西湖のほとりにある岳飛の廟には秦檜夫妻の像も置かれているのですが、写真で見ると後ろ手に縛られて跪く異様な姿です。

廟に詣でた人々は、この秦檜夫妻の像に唾を吐きかけるのが常だといいます。日本にある石像や銅像で、こういう例は聞いたことがありません。儒教の教えに従えば、罪人は永久に罪人であり、犯した罪を許すという概念すら存在しないのです。

中国の国内にも、日本人が建立した慰霊の塔があります。たとえば日露戦争の激戦地となった旅順の二〇三高地には、乃木希典将軍が建立させた「忠霊ノ塔」があり、日本人が建立したロシア兵の墓地もあります。

では中国政府は、このような外国人、とりわけ敵であった日本人のための供養塔を、どう扱ったでしょうか? 実は現代の強かな中国人は、これを破壊することなく、上手に利用しているのです。

一つは観光地として観光客を誘致するため。そしてもう一つは、日本に侵略された歴史を国民に教える「愛国主義教育基地」として……。

たとえば二〇三高地の忠霊ノ塔の近くには、「勿忘国恥(国の恥を忘れることなかれ＝外国の侵略を受けたときの屈辱を忘れるな)」という看板が掲げられ、日露戦争の話と、なぜ中国領であるはずのこの場所で、日露両軍が戦うに至ったかの説明があります。そして乃木希典将軍を「軍国主義の権化」として扱い、侵略した日本軍を批判的に表現しています。

——そこには戦死者への慰霊の精神など、まったく感じられません。

反日デモに見えるコンプレックス

儒教の呪いにかかっている中国・韓国には、その潜在意識のなかに、日本を一段低く見たいという気持ちが常にあります。逆にいえば、様々な分野で日本という国が、自分たちの何歩も先を行っているのは面白くない。だから何かにつけて、日本に対し、難癖を付けるのです。

たとえば「反日デモ」にも、その症状は見てとれます。

二〇一二年に中国の各所で発生した反日デモの背景には、日本国による尖閣諸島の国有化問題がありました。ただし、警察当局がたくみに誘導することで、ブレーキが利かなくならないよう抑制された「官製反日デモ」でした。

その前に目立ったのは、二〇〇五年の反日デモでしょう。このときは、小泉純一郎総理の靖国神社参拝問題と、日本の国連常任理事国入りの問題が発火点となっています。

さらにその背景には、中国政府が反日教育に重点を置いたため、中国人のあいだに反日感情が醸成されていたことも見逃(みのが)せません。

しかし、ではなぜ、他国の総理の、自国民たる戦死者を悼(いた)む靖国神社参拝に反発するのか……そこにはやはり、儒教的優越感とコンプレックスが、複雑にからんでいるようです。

「靖国神社というA級戦犯が合祀(ごうし)されている場所に、日本のトップが参拝するのは、日本が戦争を反省していないからだ」というのが彼らの言い分です。が、その根底には、格下の日本は、侵略を行った犯罪者として、自分たちに対して永遠に跪かなければならないという、儒教に由来する意識が働いています。

さらに日本が国連で常任理事国入りを目指すことは、第二次世界大戦戦勝国の特権たるポストに敗戦国の日本が並ぶことを意味しますので、「戦勝国として勝ち取ったポストに並ばれてたまるか」という意識が働くようです。

現実には、戦後の国共内戦に勝っただけの中華人民共和国が「戦勝国」を自称したがる理由は、米英ソという大国を敵に回して、真正面から激しく戦い、まるで桜が散るように華々(はなばな)しく負けた日本に対する、コンプレックスの裏返しだと思います。

それから前述したとおり、のちの中華人民共和国は、戦勝国である中華民国の敵だったわけですから、国連憲章にある「敵国条項」の適用を免れるために、「自分たちも最初から戦勝国なのだ」と主張したがるのでしょう。

いずれにしても、中韓の立場としては、戦争犯罪者というレッテルを日本に貼り続けることで、もし本気を出されたら絶対に勝てる見込みがない、あの「強すぎた日本」を永遠に封印したいと考えているのだと思います。

反日デモの被害も日本のせいに

二〇〇五年の反日デモが発生したとき、日本企業や日本料理店などが大きな被害を受けました。これは、中国の警察が国内の治安を維持できなかったから生じた被害です。これに対して日本政府は厳重に抗議し、謝罪と賠償を強く求めました。

しかし中国政府は謝るどころか、逆に、「事件の原因は日本側にある」と開き直ったのです。

これでは中国と国交のあるすべての政府が、国民を中国に渡航させることに不安を覚えるでしょう。世界中から投資を募りたい、経済的に苦境にある中国の国益に反することは間違いありません。

しかし面子を重んじるあまり、謝罪しなければならない場面でも謝罪できない。国際常識から大きく逸脱しても、プライドの高さだけは人一倍なのです。

中国人の自尊心の異常な強さは、負けや失敗を認めたら、根拠のない自信が崩壊してしまうというコンプレックスの裏返しですが、都合が悪くなったり自分が不利になったりしたときに、何でもかんでも他人のせいにしてしまう気質がよく現れています。

第四章　日本は儒教国家ではない！

日本人の道徳規範は武士道

一括り（ひとくく）りに「東アジア文化圏」などといいますが、中国と韓国、そして日本の文化には、大きな隔たりがあります。

確かに日本にも儒教は伝わりました。それは仏教が伝来する以前のことです。そして日本人は、儒教の精神を上手に取り入れながら、独自の文化を発達させていきました。仏教精神も取り入れ、伝統的な神道（しんとう）などにうまく吸収し、江戸時代には、武士道という倫理・道徳規範として確立させます。

この武士道こそ、今日まで続く日本人の高い道徳規範の源泉であり、支配者層の指導理念となっていると絶賛するのは、終戦まで「台湾系日本人」であり、大半の読者にとっては日本人の大先輩でもある台湾の元総統、李登輝（りとうき）氏です。

日本人の公の心、秩序、名誉、勇気、潔さ、惻隠（そくいん）の情といった高潔な精神は、この武士道に集約されるということです。日本人は、儒教の教えのよい部分だけを選んで、武士道に上手く採り入れた、といってもいいでしょう。

逆に、中国で生き残った儒教からは、「仁・義・礼・智・信」といった道徳的な思想が抜け落ちてしまいました。これには、もはや偽善的な意味しか残っていない。そのため中国では、皇帝を筆頭とする支配者層から見た場合、庶民は単に管理する対象でしかありませんでした。朝鮮に至っては、両班制度から見ても分かるように、庶民とは搾取する対象でしかありません。

一方、日本では、「仁・義・礼・智・信」といった儒教の精神を引き継ぎ、道徳心を大事にしてきました。江戸時代以降の武士道は、支配者層であった武士が自らを律する道徳規範として成立しましたが、庶民はそんな武士を尊敬し、憧れも抱いていたので、やがて日本人全体の精神として、生活のなかに浸透していったのです。

日本が儒教に毒されなかった背景

では、なぜ同じ儒教に影響されながら、日本が中国や韓国と違った独自の文化を生み出すことができたのか——一つには、日本は建国以来、一度も王朝交代が起きていないことが影響していると思います。すなわち日本には、過去に誰一人として侵したことがない「絶対的な公」、つまり「天皇・皇室」が存在するということです。天皇という圧倒的な存在に敬意を払えない日本人がいたとしたら、日本人としてまともな教育を受けられなかった人か、中韓の「呪われた儒教」のような思想に毒された人でしょう。

それに加えて、もともと日本人に根付いていた行動原理の影響も大きいと思います。

つまり、「話し合いで物事を決める和の精神」が、日本人にだけあるのです。

この点について、作家の井沢元彦（いざわもとひこ）氏は次のように述べています。


〈外国から見て、日本人の原理がわかりにくいのも、「わ」のせいである。

「わ」は「話し合い」でまとまりさえすれば、どんな原理を採用してもいい。だから封建社会がたちまちのうちに近代社会になったり、天皇制国家があっという間に「民主主義国」になったりする。よほど無原則か、軽薄に見えるだろう。しかし、原則はちゃんとある。「何事も話し合いで決める（決められる）」という「わ」の原理が、それである〉（『逆説の日本史（１）古代黎明編』小学館、Ｐ１１０）

聖徳太子が制定したといわれる「一七条憲法」の「和を以（もっ）て貴（とうと）しと為す」の精神は、日本民族、すなわち大和民族のなかに脈々と生き続けてきたのです。

大和民族は古代より唯一神ではなく、八百万（やおよろず）の神を信仰する多神教の民族です。もともと「大きな和」の民族なのです。

『魏志倭人伝』では「倭」と表記されますが、この文字には「小さい」という貶める意味が含まれるとの説もあり、本来は「和人」でしょう。「和の国」に住む人々には、昔から海外の思想や宗教、すなわち儒教や仏教を、広い心で受け入れる柔軟性がありました。

これは日本人のなかに、「相手を慮る」「空気を読む」「寛容さを示す」といった美徳として残っています。「自分よりも他人を優先させる」という精神です。日本人の我慢強さや自己犠牲の精神も、ここから派生しているのだと思います。

先日、スーパーマーケットのレジでお客さんがお札を出しながら、「ごめんなさい、一万円札しかないわ」と謝っているのを見て、「あぁ、こういうところは日本人らしいなぁ」と感じました。

日本以外の国で、高額の紙幣しかないときに、お客さんが店員さんに謝る習慣がある国を、私は知りません。お客様である自分と、お店で働いている店員さんとのあいだに上下関係はなく、対等だという潜在意識も働いているのでしょう。

これこそが「和」を大切にする心です。

これに対して、儒教国家である中国や韓国では、必ず上下関係を設定しますから、対等な立場で店員に接するという概念そのものが、なかなか理解できない。目上の人間からの命令は絶対ですし、先ほどの例でいえば、「自分は金を支払う客なのだから絶対的に上の立場だ！」と、横柄（おうへい）な態度になります。

二〇一四年一二月、大韓航空で起きた「ナッツリターン事件」をご記憶だと思います。そう、「私はこの航空会社の副社長なのだから、いますぐ飛行機を搭乗ゲートまで戻しなさい！」なんて考えてしまうのは、儒教の呪いを受けた人にしてみれば、当たり前のことなのです。

また二〇一六年一二月には、離陸直前の仁川（インチョン）発アシアナ航空機内で韓国人の副機長二人が乱闘騒ぎを起こし、乗客の迷惑をよそに、離陸が一時間遅れるという事件も勃発（ぼっぱつ）しています。

これから大勢のお客さんを安全に運ぶのだという使命感があれば、少々の個人的感情は抑えるのが世界の常識。日本人も当然わきまえている「公」の心です。これも、いかにも韓国らしい事件という印象でした。

もちろん彼らには「和」という概念も希薄。自己中心主義の中国と韓国は、日本と同じ儒教を学びながらも、まったく別の道を歩むことになったのです。

日本人の死刑に際しロシア将軍は

この「和」の精神は、さらに高潔な道徳心を生みます。「公」を重んじる精神です。武士道では、「義」を大きな徳目としていますが、「私」のなかだけで個人の行動原理を決めるのではなく、基準を「公」の次元まで引き上げなければならないと考えます。

「孝」を重んじる儒教の呪いがかかった中国や韓国では、身内や親族を大事にするあまり、「公」の心が希薄になりました。政治家や企業家が親族ばかりを重用したがるのは、この「公」に対する意識が希薄だからでしょう。

もっとも中国の場合、「皇帝」を名乗る人物も、どうせ一〇代もすれば「易姓革命」で滅ぼされて入れ替わるのだと、歴史が証明していますから、家臣たちも「公」に対して絶対的な忠誠を誓う気持ちになれなかったのかもしれません。私利私欲に走る汚職事件が多く見受けられるのも、このあたりに原因がありそうです。

二〇一六年秋に表面化した、朴槿恵大統領を操って親族や愛人にお金を流したとされる崔順実氏などは、この最たる例ではないでしょうか。さすが「小中華」の国として、中国の汚職体質も見事にコピーしています。

確かに最近の日本でも、「公」に対する意識は薄れてきているように思われます。これは私が繰り返し主張している、GHQによる日本人洗脳工作「WGIP（ウォー・ギルト・インフォメーション・プログラム）」によって、「日本は戦争で悪いことばかりした」と刷り込まれたことが、大いに影響していると思います。

国家に忠誠を尽くすことは非民主主義的であり、非人間的であり、ファシズムそのものであり、愛国心は悪だなどと思い込んだ国民は、自分の祖国に誇りを持てません。国民の精神が荒廃すれば、その国の衰退は必然ですが、WGIPの狙いはまさにそこにあったのです。このWGIPの悪影響が、大半の日本人の心の底流にあると感じます。

戦後、国家に忠誠を尽くした方々、たとえば「軍神」などの銅像は、軍国主義の象徴として取り壊されてしまいました。しかし、彼らの高い精神性などは、そろそろ再評価されてもいいのではないかと思います。

特に明治時代の軍人は、江戸時代の武士（もののふ）としての教育を強く受けていました。「公」に尽くした二人の人物、横川省三（よこかわしょうぞう）と沖禎介（おきていすけ）を紹介したいと思います。

二人はのちに靖国神社に祀（まつ）られることになりますが、軍服を着た軍人ではありません。西洋列強の帝国主義に呑み込まれ、日本国の存亡がかかった日露戦争時に、満洲で陸軍の特務機関に協力、諜報活動に従事します。ロシア軍の輸送路破壊にも参加し、その際、一死奉公を誓って任務に赴いたといいます。

しかし、二人ともロシア兵に捕らえられてしまいます。死刑は確実というなか、ロシア側の取り調べに対しても、二人は凜とした態度を崩さず、「一臣民として国家に尽くした」と胸を張ります。

尋問に当たったロシア兵も武人としての二人に感心し、本来であれば絞首刑のところを、軍人として銃殺刑に処するとします。さらに二人の命を助けたいと、司令官であるクロパトキン将軍に助命嘆願を行います。

しかしクロパトキンは、

「私は日本軍人をよく知っている。死を決して任に当たった以上、捕虜となったいま、生を望まないだろう」

といい、銃殺刑を取り下げませんでした。クロパトキンもまた、騎士道をわきまえた将軍だったのでしょう。

横川は処刑の前に、所持していた大金をロシアの赤十字に寄付すると申し出ます。驚いたロシア兵が、

「なぜ、家族に送ろうとしない。われわれはちゃんとご家族に届くようにしてやるから」と説得します。すると横川は、

「わが日本国は、われらの遺族を見捨てるような国ではありません。また、ロシアの赤十字に寄付したいのは、不幸にも日本軍の砲弾に当たって傷ついたロシア兵のために、せめてもの罪滅ぼしです」

と、毅然(きぜん)として語ります。二人の日本人にサムライの姿を見たロシア兵は驚嘆し、最後まで礼を尽くしたといいます。

死刑囚の臓器を密かに売り飛ばし、さらに銃殺刑のときに使った弾丸の費用まで遺族に請求するような国家、中国では、絶対にあり得ない話といわざるを得ません。

日本には、かつてこのように国のために尽くした志士がいたことを忘れてはいけません。戦争で活躍した人を讃(たた)えることを、軍国主義とか、歴史修正主義だなどと、単純思考で切り捨てる風潮は、いい加減に改めてほしいものです。

親日国を作った日本人の勤勉さ

中国や韓国では手抜き工事がたびたび問題になり、結果として大事故も多発していま

す。二〇一六年、中国国営の新華社通信は、中国の国内に八〇万基近くある道路橋のうち、一〇万基以上が崩落などの危険な状態にあると伝えました。これなどはまさに、自らの利益のみ追求した自己中心主義の結果にほかなりません。

日本人には高い道徳規範である「利他」の精神があります。これは世界に誇るべきものであり、強い武器となります。

先述の、中央アジアにあるウズベキスタンという親日国。なぜ、この国が親日国になったか——その秘密は戦後まもない時期まで遡(さかのぼ)ります。

終戦直後、シベリアを中心として、民間人を含めると五〇万人もの日本人捕虜がソ連軍に抑留され、労働に従事させられました。ソ連の支配下にあったウズベキスタンでも多数の日本人捕虜が収容され、ビルなどの建設に従事しました。そして、その日本人の働きぶりが現地の方々を感心させたのです。

ある母親は、子どもを毎週のように捕虜収容所まで連れていき、同じような言葉を投げかけます。

「見なさい、あの日本の兵隊さんを。ソ連兵が監視しなくても、あのように働く。他人が見ていなくてもきちんと働く。あなたも、そんな人間になりなさい」

この少年は母親のいいつけを守り、技師となったのち、最後はとうとう大統領にまで上りつめます。二〇一六年九月に亡くなったウズベキスタン大統領のカリモフ氏は、「あの日本人たちのおかげで大統領になれた」と述懐していました。

また、ウズベキスタン中央銀行副総裁となったアブドマナポフ氏も、同じような体験をしています。疲れ果てて収容所に戻る日本人捕虜に同情し、自家製のナンや果物を差し入れたといいます。

現地のウズベク人には、同じような行動をとった人が多く、収容所の鉄条網越しに食べ物を差し入れると、数日後、そこには手作りの木製オモチャが置かれていたというエピソードもあります。受けた恩を忘れず、感謝の念を示す日本人の高い道徳心は、その後も、ウズベク人のあいだで語り継がれたそうです。

他人からの援助を受けておいて、「していただくのではなく、させてやるものだ」と強弁する中華思想とは、正反対の考え方です。

この日本人捕虜およそ四〇〇人が建設に従事した建築物の一つに、首都タシュケントのナヴォイ劇場があります。日本人の勤勉な働きぶりのお陰で、工期三年の予定だった劇場が、二年で完成しました。そして完成から一九年後の一九六六年四月二六日、タシュケント大地震がウズベキスタンを襲います。市内の建物の三分の二が倒壊するなか、日本人捕虜が建てた建物はほとんどが無傷……ナヴォイ劇場もびくともせず、多くのウズベク人の避難場所となったのです。

その直後、当時の大統領は、ナヴォイ劇場に、日本人が建てたことを記したプレートを作らせます。そのとき大統領が強く指示したのは、「われわれは日本人を捕虜にしたことはない。日本人捕虜とはせず、日本国民と記しなさい」ということでした。

ウズベキスタンには、あちこちに、日本に帰ることなく現地で命を落とした日本人捕虜たちの墓があります。ソ連政府は、この日本人墓地を撤去して更地にしろと命令しました。というのも、日本人捕虜の抑留と強制労働は明らかな国際法違反であるうえに、人道上も許されないもの。ソ連にしてみれば、それを隠蔽したかったのでしょう。

しかし地元のウズベク人はその命令に背き、日本人の墓を今日に至るまで守り続けてきたのです。

中国の、札束で相手の頬をひっぱたくような援助のやり方では、ここまで感謝されることはないでしょう。世界でいかに日本人が尊敬されているか、その一端を示す行動ですが、それを妬んでどんなに貶めようとしても、多くの国で日本人に対する信頼は揺るぎのないものなのです。

中国人をも感動させた誠意

日本人の高い道徳心は、ときに道徳心を失った中国人をも感動させることがあります。二〇〇八年に中国で発生した四川大地震では、日本からの救援隊も駆けつけました。外国からの救援隊では一番乗りであり、そのことは中国でも報道されています。

そして中国人を感動させたシーンがあります。崩壊したビルの瓦礫（がれき）のなかから、救援隊が亡くなった母子の遺体を収容します。母親と生後二ヵ月の赤ん坊の遺体に対し、日本の救援隊全員が黙禱（もくとう）をささげ、遺体が車で搬送されるときには、全員が敬礼で見送ったのです。

救援隊としては、「助けてあげられなくて、ごめんなさい……」という気持ちを示した黙禱であり、敬礼だったのでしょう。このシーンがテレビで放映されると、多くの中国人を感動させたのです。どんなときにも「誠実」「寛容」「礼節」を失わない日本人の態度に、多くの中国人が胸を打たれました。

この高潔な精神は、日本人の大きな特長であり、美点です。これを永久に失わず、大切に持ち続けて欲しいものです。

東日本大震災が発生したときには、韓国のサッカー場で、「日本の大地震をお祝い（し）ます。」との横断幕を掲げた韓国人サポーターがいました。さすがに韓国人すべてが、そのように品性下劣ではないでしょうが、日本にはそんな人間は一人としていて欲しくないものです。

反中感情が高まっていた時期にもかかわらず、四川大地震に際しては、日本でも多くの義捐金（ぎえんきん）が集まりました。これも多くの中国人を感動させています。

儒教の「仁・義・礼・智・信」だけを古来の「和」の精神のなかに融合させ、その基礎から武士道を確立した日本人の精神風土……ここまで読んでいただければ、日本が中国や韓国のような儒教国家とはまったく違うことが、十二分に理解できるはずです。

第五章　儒教の陰謀は現在進行中！

中国の国名は日本人の造語から

冒頭で、「日本人、そして中国人と韓国人のあいだには、ＤＮＡ研究の結果、人種的に大きな違いがある」と記しました。これは何も人種差別的な言動ではありません。むしろ中国人や韓国人のメンタリティにある、「日本人など、単にわれわれの子孫ではないか」という見下した意識に対抗するためにいいたかったのです。

もう一つ、人種的な違いはあったとしても、「日本の文化は中国文化のコピーではないか」という認識から、日本を見下す意識も強いようです。中国人にはむしろ、この意識のほうが強いのかもしれません。

韓国（朝鮮半島）は中国文化の経由地に過ぎず、日本が韓国文化の影響を受けた形跡は薄いのですが、韓国人はそうは思っていないようです。彼らにとっては、自分たちの民族が満足できる「物語」のほうが重要であって、歴史的事実は二の次ですからね。

一方、中国の文化がたくさん輸入されたのは、主に奈良時代や平安時代までです。それ以降は、どちらかといえば、日本独自の文明が発展しました。さらに明治維新以降は、あまり知られていないようですが、いち早く近代化を果たした日本の文化を、中国や韓国のほうが積極的に輸入したのです。

たとえば明治維新の頃、欧米で発達した近代の新しい概念や科学技術などを日本語に翻訳しようにも、漢字で適切に表現する言葉がありませんでした。そこで、福澤諭吉や西周（にしあまね）といった日本の有識者たちが、既存の漢字を組み合わせて「造語」を編み出したのです。

一例を挙げると――。

「人民」「共和」「自由」「情報」「電気」「経済」「銀行」などなど……これらの言葉は、今度は中国語へと逆に輸出されます。

ですから中華人民共和国という国名のうち、「人民」と「共和国」とは、何と日本から輸出された言葉です。毛沢東はそれを国名にまで使ったわけです。

北朝鮮の正式名称である「朝鮮民主主義人民共和国」のうち、「民主主義」「人民」「共和国」も、日本人が作った言葉です。

これは何も中国人や韓国人に対して優越意識を持てという意味ではありません。しかし相手が、「漢字はわれわれが教えてやったのだ」などと優越意識も露（あら）わに臨んできたら、冷静に反論すればいい。それだけの話です。

日本人は昔から、世界中から輸入したものに独自の改良を加えて、オリジナルを上回るものへと進化させることが得意な民族です。禅やラーメンなども発祥は中国かもしれませんが、いまでは世界中の人々が「日本のもの」だと考えています。劣化コピーではなく、オリジナルを完全に凌駕しているのですから、卑下すべきことは何もありません。

このときに注意したいのが、「誠実」「冷静」「寛容」という日本人の美徳を忘れてはいけないということです。中国人や韓国人のように、あまり偉そうに振る舞ってしまうと、日本人らしくないだけでなく、みっともないものです。

世界遺産認定でのちゃぶ台返し

「こちらが譲歩すれば相手も譲歩してくれる」――これは「和」を尊ぶ日本人の特徴的な思考回路です。日本人同士であればこの思考は確かにうまく機能しますし、人間関係も円滑になります。

しかし、国際交渉、とりわけ外交では、この思考が通用しないと、しかと肝に銘じるべきです。特に中国や韓国は、国際的な常識すら持ち合わせていない身勝手な国なのです。

日本は「お人好し外交」で、さんざん煮え湯を飲まされてきました。

たとえば二〇一五年に、長崎県の「軍艦島」端島炭坑をユネスコの世界遺産に登録する際、朝鮮半島出身者が労働を強いられたと明記せよ、などという韓国の妨害活動に対し、外交的な失敗を犯しています。また、中国が「南京大虐殺」を史実であるかのように世界記憶遺産に登録することも、阻止できませんでした。

もともと国連の組織であるユネスコ（国連教育科学文化機関）の胡散臭さについては、拙著『やっと自虐史観のアホらしさに気づいた日本人』にも記しましたが、ここでは長崎県の「軍艦島」の世界遺産登録に至る顚末を紹介します。

日本政府は二〇一四年五月、「軍艦島」など国内施設等の世界遺産への登録を申請します。これを受けてユネスコの諮問機関、国際記念物遺跡会議（イコモス）は、ユネスコに登録を勧告。これで「軍艦島」も世界遺産登録の可能性が高くなったのですが……。

そこにイチャモンをつけてきたのが韓国です。世界遺産委員会の委員国でもある韓国が、「軍艦島は戦時中の強制連行と関わりがある」と、登録に反対の意向を示したのです。世界遺産委員会は二一委員国で構成されていますが、登録は全会一致で決定するという慣例がありました。つまり韓国一国だけの反対で、登録できない可能性があったのです。

この状況を受けて、二〇一五年六月、日本の岸田文雄外相と韓国の尹炳世外相との会談が持たれます。日本は、韓国政府の主張を一部受け入れ、「施設内で戦時中、朝鮮半島出身者が働いていたことなどを明示する」と表明しました。また、韓国が世界文化遺産に推薦した百済歴史地区の登録にも協力するという交換条件も示し、韓国は「軍艦島」の世界遺産登録に反対しない約束を取り付けました。

これで万事うまくいくはずでしたが、土壇場で韓国が、裏切り行為に出たのです。

七月四日、ドイツのボンで開かれた委員会でのこと。韓国の首席代表が、「日本は強制徴用の被害者を讃える誠意ある措置をとるべき」と言い出したのです……まさにちゃぶ台返し。

強制徴用そのものが歴史改竄であり、韓国のいいがかりです。ここでは省略しますが、さすがにお人好しの日本外務省も怒りを露わにします。

ある幹部からは、「政治的な意図を持って妨害してくる韓国政府のやり方は、日本政府のみならず、国民が悪い感情を抱くことにしかならない」という激しい批難の言葉も出ました。

……しかし、世界遺産登録という人質を取られている手前、日本側が譲歩する形で決着がつきました。

野球の五輪予選でも紳士協定違反

また、こんな例もあります。二〇〇七年に台湾で行われた野球、北京オリンピック・アジア予選の決勝リーグでのこと。日本は韓国に四対三で勝利したのですが、その際、韓国チームの「掟(おきて)破り」に遭遇しています。

その試合のあとの会見で、日本代表チーム監督を務めた星野仙一(ほしのせんいち)氏のマイクを握る手は震えていました。韓国の先発投手が、試合の一時間前に渡されたメンバー表にある右腕の柳済国(リュジェグク)から、左腕の田炳浩(チョンビョンホ)に変わっていたり、打線も、日本の左腕の先発を意識したのか、一番から六番まで右打者が並べられていたことへの怒りが収まらなかったのでしょう。

もちろん試合前に抗議したのですが、メンバーの提示など、ただの「紳士協定」に過ぎないと片付けられてしまったのです。

しかも信じられないことに、この件に関して韓国メディアが日本側を批判。いわく、「韓国のオーダー変更は問題ない。星野監督が規定を理解していなかったのだ」「多くの大会で、このような偽装が『合法』とされてきた」などなど……星野監督が勉強不足だったとされてしまったのです。

これではスポーツマンシップもへったくれもありません。

このように日本は、韓国が約束を平気で破る国だということを、十分過ぎるほど知っているはずです。そんな国とは、本来なら、断交してもいいくらいですが、隣国だけにそれも難しい面があります。

日本が未成熟国家の韓国に甘い顔をしながら譲歩している理由は、米中を含めた国際情勢にもあります。北朝鮮問題もからんで、アメリカは、何とか韓国と中国の接近を食い止めて自陣に引き留めておきたいと考えているからです。

だからといって、いつまでも日本が我慢し続ければいいわけではありません。日本政府は日本の国益を最優先に行動すべきです。韓国の無茶な要求やイチャモンには、冷静かつ毅然（きぜん）とした態度で臨んでほしいものです。

中国人船長を奪還するための詐術

それでもまだ、「こちらが譲れば相手も譲るはず」という甘い幻想を抱いて、日本の外交は数々の失敗を犯しています。外交の世界では、こちらが一歩引けば相手はさらにつけ込んで前に出てくるというのが国際常識。とりわけ中国は、長い戦争の歴史で培(つちか)われた強(したた)かな交渉力を持っています。

さらに、相手の弱点を見つけてそこを徹底的に突くという、日本人なら「卑怯(ひきょう)だ」といいたくなるような戦略が、『孫子』を始めとする兵法では基本中の基本となっています。

武士道の日本の価値観では、相手の弱点を突くことは、あまり誉められたものではありません。ただしこの価値観は、やはり国際舞台では通用しない。「郷に入れば郷に従え」を肝(きも)に銘じるべきです。

実際、その厳しい現実を突き付けられた事件が、二〇一〇年九月に発生しました。尖閣諸島沖で発生した中国漁船衝突事件です。このとき日本の巡視船に体当たりを敢行した中国漁船の船長は逮捕されます。

そこで中国は矢継ぎ早に対抗策を打ち立てます。日本との閣僚級の往来を停止、航空路線増便の交渉中止、日本への中国人観光団の規模縮小……そして日本政府をいちばん慌てさせたのが、レアアースの対日輸出差し止めと、中国国内にいた日本人ビジネスマン四人をスパイ容疑で逮捕したことです。

中国としては、中国人船長が逮捕されたことを容認できません。なぜなら尖閣諸島を自国領土だと言い張っている手前、そこで譲歩すれば、中華思想というプライドだけは高い中国の大衆の、政府に対する反発が強まるのは目に見えているからです。

中国政府としては、日本政府との話し合いに出る前に、数々の対抗策を打ち立てることで交渉を有利に運ぼうとする戦略を採ります。日本の弱みであったレアアース禁輸という切り札と共に日本政府を追い詰めたのは、スパイ容疑をかけられて人質に取られた日本人ビジネスマンの存在です。中国では、スパイ行為の最高刑は死刑なのです。

追い詰められた日本政府、当時の民主党政権は、公式には認めていませんが、日本人ビジネスマンの釈放と引き換えに中国人船長を釈放したようです。

水面下でどのような交渉があったのかはまだ明らかではありませんが、このときもまた日本政府は、お人好しぶりを発揮しました。

日本は中国人船長を釈放しました。では、中国は？　中国もスパイ容疑として拘束した日本人ビジネスマンを釈放しました。ただし四人のうち三人だけ……つまり中国は交渉に使えるカードを一枚残したのです。「ビジネスマンを返すとはいったが、全員といったわけではない」というわけでしょう。

当時、私自身も、あるいは周囲の人間のなかでも、

「中国は一度に四人を釈放したりはしない。大事な交渉カードなのだから、少しずつ解放していくに違いない」

という声が大多数でした。

外交の素人でも分かることなのに、当時の民主党政権には分からなかったのでしょうか。外交交渉において、相手の善意に期待してはいけないという好例です。

外交官までハニートラップに

これまで説明したように、儒教思想に染まった中国人や韓国人は、面子を潰されることを極度に恐れます。一方の日本人は、儒教の教科書である『論語』の「己の欲せざる所、人に施すこと勿かれ（自分がされたら嫌なことを他人にやってはいけない）」という美徳を重んじるあまり、外交の場面でも、要するに利害の対立する相手にまで、極度に気を遣い過ぎるのではないでしょうか。

相手の立場ばかりを慮っていては、対等な、あるいはこちらが有利な関係を築くことは絶対に不可能です。

そのことを如実に示した事件が二〇〇四年に起こりました。この事件は、中国の面子を立てるために長らく表に出ませんでしたが、「週刊文春」（二〇〇六年一月五日・一二日合併号）のスクープとして広く知れ渡ることとなります。

二〇〇四年五月、上海の日本領事館の電信官が、遺書を残して自殺を遂げました。その原因は、なんと中国当局のハニートラップに引っ掛かり、当局から脅しをかけられたこと。追い詰められた末の自殺だったのです。

電信官とは、日本国内の外務省と現地領事館のあいだで取り交わされる、暗号電信のやり取りを担う仕事です。つまり、暗号電信の内容を解読する暗号や、機密情報を知る立場にあるわけです。

この電信官が、プライベートで行った先のカラオケクラブのホステスと親しくなりますが、それが中国公安部の知るところとなり、これをネタに電信官は機密情報の提供を求められます。

「買春行為は重罪だ。日本には帰れなくなる」

中国の工作員にそう恫喝され、悩んだ挙げ句、電信官は自殺を遂げました。遺書には苦悩した電信官の心情が切々と書かれていました。

「決して日本を裏切ったりはしない」

ハニートラップに引っ掛かったこと自体は、誉められるものではありません。しかし、この電信官は、国益を守るために命を張ったのです。日本外務省は、この事実を知った時点で事件を公表し、中国に抗議するべきでした。

ところが外務省は、週刊誌がスクープするまで、これを公にすることなく秘匿しようとしました。つまりコトを荒立てることなく、また中国側の面子を保つために、命を捨てて中国の非道ぶりを告発した電信官の遺志を無視しようとしたのです。

週刊誌のスクープ記事が出たあと、外務省は形だけの抗議を中国側に行います。すると、そのときの中国側の反応が、まさに盗人猛々しい。

「中日双方はこの事件の性格についてつとに結論を出している。一年半たったいま、日本側が古いことを改めて持ち出し、さらに館員の自殺を中国関係者と結びつけているのは、完全に下心を持ったものだ。われわれは、なんとかして中国のイメージを落とそうとする日本政府の悪質な行為に強い憤りを表明する」

こう発言したのは、中国外務省の副報道局長です。さらにホームページ上には、

「事件後、中日双方は外交ルートを通じて、何度も意思疎通をはかった。日本側は、館員

は職務の重圧のために自殺したと表明、遺族の意思に基づいて、中国側に事件を公表しないよう求めた。中国は人道主義の立場から、日本側と遺族に協力して適切な善後処置をとった」

という声明を出したのです。

外務省の対応の情けなさは、この一件を小泉純一郎総理に伝えなかったところにも表れています。国家の主権に関わる重大問題にもかかわらず、官房長官にすら伝えず、当時の外務大臣から後任の大臣への申し送りもなかったのです。

これは、単なる中国への気兼ねでしょう。外務省はもっと強く出るべきでした。中国に甘い顔をしても、決して感謝されることなどなく、相手にとっては「それが当たり前」「われわれ中国はアジア一番の強国であり、弱小国の日本はいいなりになるべき」という意識を持たせてしまうだけなのです。

そこから友好関係は生まれず、ただ日本の国益を損ね続けるだけに違いありません。

頭がいいはずの日本の外務官僚は、「弱気を見せれば相手に舐められる」というサルでもわかる自然界の掟を、なぜ理解できないのでしょうか。本当に不思議で仕方がありません。

中国がアフリカで忌避される理由

中国や韓国の、日本を貶めようとするプロパガンダに対しては、毅然として反論しなければなりません。黙っていたら「黙認」、すなわち「黙って認めた」ことになるからです。ただし、彼らと同じように感情的にはならず、そして卑怯な手段も使うことなく、冷静かつ紳士的に行うことです。

日本人の誠実さ、寛容さ、勤勉さは、世界中で高い評価を受けているのですから、その点で対抗すればいい。たとえば中国はアフリカ諸国への経済進出を活発に行い、現地でインフラ整備などを盛んに行っています。ところが現地の住民には、ことごとく評判が悪い。なぜでしょうか。

中国の資金で道路建設などインフラ整備を行う場合、中国企業が乗り込んで工事をしますが、現地の人はあまり雇用しません。中国人を大量に移住させ、働かせるのです。しかし彼らは現地に溶け込もうとはしないので、必ずといっていいほど、住民とのあいだに摩擦を引き起こします。

そして中国は、インフラ整備の見返りとして、鉱山などの資源開発の利権を奪ったりするものですから、非常に評判が悪い。これでは昔の植民地開発と大差がありません。恐らく現地の高官に、多額の賄賂を贈っていることでしょう。

さらに、たとえ中国系の建設会社が現地人を雇い入れたとしても、あの中華思想に染まった中国人ですから、現地人を見下してはトラブルを巻き起こしているのです。

アフリカ進出に関しては、安倍総理によるアフリカ訪問などを通じ、日本も巻き返しを図っています。中国が警戒感を露わにしていますが、これも自国の評判が悪いことを自覚してのことでしょう。

日本は決して自らの利益第一ではなく、現地にどれだけ喜んでもらえるかを優先させることです。過去には実績がいくつもあるので、それを持続させていく。ただし、ＯＤＡをめぐる国内外の汚職については、いままで以上に目を光らせるべきです。

中朝韓の肩を持つ人たちの矛盾

さて、私も呼びかけ人を務める「放送法遵守(じゅんしゅ)を求める視聴者の会（略称：視聴者の会）」の賛同者などには、保守系と目される人物が多いのです。ただし、この団体の活動目的は、自分たちの保守的な見解を主張することではありません。

放送法を遵守すべき放送局や、放送局を通じて言論を発するいわゆる有識者（その名に値するかどうかは知りませんが）は、私たちの活動に対して、「言論弾圧だ」と反発します。そういった方々は、その多くがいわゆる「サヨク」に分類されますが、彼らは、中国や韓国寄りの発言をされる傾向が強いと感じています。

しかし彼らが肩を持つ中国や韓国、そして北朝鮮も含め、それらの国々に言論の自由はあるのでしょうか。民主主義国家であるはずの韓国ですら、産経新聞の加藤達也元ソウル支局長を、朴槿恵大統領に対する名誉毀損という無実の罪で起訴して、裁判にかけました。それに対して、何らかの批判はしたのでしょうか。はなはだ疑問です。

「視聴者の会」が特に問題視したのは、TBSの「NEWS23」における岸井成格氏。安全保障関連法案を憲法違反と決めつけ、「メディアとしても廃案に力を注ぐべきだ」と発言したのです。私たちは公開質問状を送り、また私自身も各方面で問題提起を行っています。しかし、未だに岸井氏側から、まともな返答はいただいていません。

その岸井氏が北朝鮮に関して、以前、次のような発言をされたことを、ここに改めて明記しておきます。

「日本は北朝鮮と戦後処理をしていない。国交正常化して平和条約を結ぶと、（賠償金として）経済協力のかたちで、韓国に出しただけは払わなければならない。現在の額では一兆円」（二〇〇九年五月二七日　福岡県小倉北区のリーガロイヤルホテルで開かれた「第六回毎日・北九州フォーラム」での発言）

本来であれば、国民の生活向上に使うべき国家予算を、核開発とミサイル発射実験に使い、多くの日本人を拉致したうえに、この問題に取り組まない北朝鮮。そんな無法国家に対して岸井氏は、「一兆円を支払え」と主張しているのです。

長年マスコミに籍を置く人間として、北朝鮮の体制や活動についてはどう考えているのでしょうか。われわれの「知る権利」を守るための活動に対して、「言論弾圧だ」などと批判しつつ、日本以上に言論の自由があるはずもない北朝鮮の、その体制を擁護しようとする岸井氏のスタンスは、とうてい理解できません。

ほかにも、日韓基本条約を締結した際、

「個人への補償は韓国政府が行う。だから政府に一括して支払って欲しい」

という韓国側の要望に応じて、日本は韓国の年間予算二年分を提供しました。しかし先述の通り、韓国政府はその事実を自国民に隠し、すべて経済基盤整備に使ってしまいました。そのまま権力者の懐に入った金もあったかもしれません。

その後、韓国人から個人補償の請求が日本側に突きつけられるケースが後を絶ちませんが、そうした事実について、岸井氏はどのような意見をお持ちなのでしょうか。

北朝鮮に一兆円もの資金を提供したとして、その資金がどう使われるのか、岸井氏は想像すらできないのでしょうか。現状では、本来なら一般市民に回されるべき一兆円が、核兵器開発やミサイル開発に回されることは確実だと、子どもでも想像できます。

そのあたりが、日本人でありながら反日的なスタンスを取り、日本政府をいつも偉そうに上から目線で批判しながら、中国、韓国、北朝鮮の肩を持つ方々の、思慮の浅いところではないでしょうか。

日中戦争はすでに始まっている

日本と中国の戦争はすでに始まっている——こんなことをいうと、「ケントは、また過激なことをいっている。日中の対立を煽（あお）るつもりか」という方がおられるかもしれません。

しかし、この事実を否定するのは楽観的な日本人だけであり、「日中は事実上の戦争状態に入っている」とみなす軍事専門家は少なくありません。もちろん、南シナ海や尖閣近海でのつばぜり合いもその要因の一つですが、実際にはもっと前から始まっています。

古代中国の『孫子』に代表される兵法書は、ドンパチの戦争を始める前に、情報戦による戦いを始めるものだ、としています。

まず第一に、情報戦や外交交渉によって、敵勢力の分断を図ります。敵国内の世論を二分させて、消耗させるのです。戦前の日本のように、一枚岩の勢力は非常に強い。アメリカも「リメンバー・パールハーバー」の合い言葉の下で結束したときは強かったのですが、ベトナム戦争では厭戦ムードで世論が分断したので、結局、負けてしまいました。

敵勢力を分断し、内部分裂を引き起こすことは、最新鋭の武器を揃えた強い軍隊を持つよりもずっと効果的だと、中国古来の兵法書は説いているのです。

事実、中国は外交攻勢によって、日米同盟、あるいは日米韓の同盟に、何とか楔を打とうと躍起になっています。たとえば「南京大虐殺」をアメリカ国内で盛んに喧伝し、日本の戦争責任を声高に叫ぶ目的はそこにあります。あるいは南シナ海問題では、東南アジア諸国と日米との共同歩調を食い止めようと必死です。

情報戦について、日本はこれまで防戦一方でした。中国が韓国とも協力し、国際社会で日本を貶め、孤立させようと試みていることは、これまで紹介してきた通りです。

一方の日本には諜報機関がなく、スパイ防止法もありませんでした。情報戦においては常に後れを取っていたのです。この点は、何も進歩していません。

たとえば永世中立を宣言したスイス。さぞや平和な国なのだろうというイメージをお持ちでしょう。が、その平和を守るため、精強な軍隊を保持しています。そして国民も、自国防衛に強い意識を持っています。

スイス政府は冷戦時代に『民間防衛』（邦訳：原書房）という冊子を作成し、各家庭に配布しました。そこには「武力を使わない情報戦」という手順が書かれています。

第一段階　工作員を政府中枢に送り込む
第二段階　宣伝工作——メディアを掌握し、大衆の意識を操作する
第三段階　教育現場に入り込み、国民の「国家意識」を破壊する
第四段階　抵抗意識を徐々に破壊し、「平和」や「人類愛」をプロパガンダに利用する
第五段階　テレビなど宣伝メディアを利用し、「自分で考える力」を国民から奪っていく
第六段階　ターゲット国の民衆が無抵抗で腑抜けになったとき、大量植民で国を乗っ取る

どうでしょうか。どこかで見聞きしたような既視感はありませんか？　そう、中国がいま日本に対して行っている工作のすべてが書かれているのです。

自国の危機的な状況を無視し、国防の必要性を真剣に考えもせず、ただ「平和憲法を守れ」というスローガンを繰り返す政党が、日本には複数あります。また、「戦争反対！」の言葉を、日本侵略を目論(もくろ)んでいる外国に対してではなく、国民の生命と財産を守り抜くために必死な日本政府に向けて叫んでいる、そんなノーテンキな人々が多々います。

日本が「武力を使わない情報戦」を他国から仕掛けられ、すでに相当やられているという事実を、誰が否定できるのでしょうか。

中国の対日工作の全容

このスイスの冊子にある「武力を使わない情報戦」を見て、まだ何も感じない方には、中国の対日工作について語りたいと思います。

私の手元に一冊の小冊子（コピー）があります。タイトルは、『対日政治工作　中国共産党「日本解放第二期工作要綱」』……この前書きに、この資料入手の経緯が書かれています。中央学院大学の教授だった故・西内雅(にしうちただし)氏が、一九七二年にアジア諸国を歴訪した際、偶然に入手した秘密文書、とあるのです。同年八月、国民新聞社が特集記事を掲載し、小冊子も発行したとのことです。

この文書に関しては、その真贋（しんがん）も疑われていますが、まずはその中身を紹介したいと思います。

A　基本戦略・任務・手段
一　基本戦略
我が党は日本解放の当面の基本戦略は、日本が現在保有している国力のすべてを、我が党の支配下に置き、我が党の世界解放戦に奉仕せしめることにある。
二　解放工作の任務
日本の平和解放は、左の三段階を経て達成する。
イ　我が国との国交正常化（第一期工作の目標）
ロ　民主連合政府の形成（第二期工作の目標）
ハ　日本人民民主共和国の樹立・天皇を戦犯の首魁（しゅかい）として処刑（第三期工作の目標）

そしてこの続きには、「田中内閣の成立以降の日本解放第二期工作組の任務は、右の第ロ項、すなわち『民主連合政府の形成』の準備工作を完成することにある」とあり、その後は「任務達成の手段」「工作主点の行動要領」として、工作員の具体的行動が、こと細かに記述されています。

たとえば「群衆掌握の心理戦」として展覧会や演劇、スポーツ交流を通じて中国（中華人民共和国）への親近感を高めること。

「マスコミ工作」としては、新聞や雑誌に対して「一〇人の記者より一人の編集責任者を獲得せよ」と書いています。そしてアプローチするターゲットを挙げ、「民主」「平和」「不戦」といった思想が定着するよう誘導するのです。

さらに、政党や政治家へのアプローチの仕方も指示されています。そこでは「打倒排除すべき者」と「掌握すべき者」とに対象を分け、「打倒排除すべき者」は党内での勢力を削ぎ、発言力を低下させる。「掌握すべき者」に対しては中国国内への招待旅行を行う。そして自民党議員の「反動極右分子」にも、一度は中国を訪問させるよう工作する……。

ここで興味を引いたのが次の一文です。

「旅行で入国した議員、秘書のうち、必要なる者に対して、国内で『C・H・工作』を秘密裏に行う」

……この「C・H・工作」が何を意味するのか、普通に考えればハニートラップであることは容易に想像がつきます。日本には「旅の恥はかき捨て」や「据え膳食わぬは男の恥」などのことわざがあるように、もともと旅先でのお遊びに寛容な国民性ですから、本当に要注意です。中国は敵の弱みを握るためであれば手段など選びません。

この文書に記された中国の対日工作は、先に紹介したスイスの「武力を使わない情報戦」そのものです。攻略するターゲットを日本と定め、その具体的手順を述べたものにほかなりません。文書にある「世界解放戦」とは、すなわち「世界征服」を意味します。要するに、中国共産党は、中華思想の実現を本気で目指しているのです。

この文書の真贋が疑われていますが、ニセモノだとすると「出来過ぎ」です。さらに、わざわざこんなニセモノを捏造する意図も不明です。そして何より、ここに書かれた内容は、日中国交正常化以降、中国が日本に対して行ってきた経緯そのものなのです。

日本のなかに中国の工作員が多数入り込んでいる状況は、これまでの著書にも書いたり、講演などで指摘したりしてきましたが、疑う余地はありません。

これがたとえ捏造された文書だったとしても、まるで「予言の書」のような現状に鑑みれば、実際に同様のものが存在すると思って備えなければ、必ず後悔します。

新聞の偏向報道が許されるわけ

日本のマスコミは、いろいろな問題点を抱えています。拙著『いよいよ歴史戦のカラクリを発信する日本人』（ＰＨＰ研究所）でも指摘しましたが、ここでは中国と韓国に関する問題点だけを述べましょう。

まず、メディアの偏向の方向性を見ると、中国や韓国の宣伝機関に成り下がっているケースが目立ちます。中国共産党の対日工作について説明しましたが、その影響を否定することは困難です。

はっきりいえば、メディアのなかに、かなりの数の外国工作員が紛（まぎ）れ込んでいます。お金を受け取った、もしくはハニートラップのような方法で弱みを握られている、そんな日本人工作員が相当数いると思います。

いわゆる「従軍慰安婦」問題では、「誤報」と自称する「朝日新聞」の虚偽報道がありました。最初から意図的な捏造記事だった疑惑も拭（ぬぐ）い切れてはいません。しかしそれ以前にも、朝日新聞の本多勝一（ほんだかついち）記者は「中国の旅」という連載で、いわゆる「南京大虐殺」に関する記述に多くのページを割いています（ちなみに私が「いわゆる」と必ず付ける理由は、これらの言葉がプロパガンダ用語だからです）。

ところが、内容の信憑性が疑われると、後年、中国側がすべてお膳立てしたプロパガンダをそのまま垂れ流していた事実を、担当記者だった本多氏自身が認めているのです。

このように現在に至るまで、中国や韓国のご意向に沿った記事を書き、意見を述べる記者や有識者は、後を絶ちません。

それぞれの立場で意見を述べることが自由なのはいうまでもありません。ただし国民としては、メディアや発言者がどの立ち位置から情報を発信しているのか、あらかじめ知っておきたいものです。新聞や雑誌などには「右寄り」「左寄り」、いろいろとあります。これは「表現の自由」として憲法上認められているので、名誉毀損などの問題が生じない限り、誰も文句はいえません。

最大の問題は、多くの日本人が、「新聞に書かれている内容は客観的事実であり正しい」と信じ込んでいる点です。しかしこの考えは、完全に間違っています。現実には、各新聞社が、それぞれの思惑に準じて報道する事実を選び、各社の政治的スタンスに基づいた記事を書く。言論の自由が保障されている日本において、新聞の偏向報道は、倫理的には問題ですが、法的には許されているのです。

ですから、新聞を一紙だけ購読して物事を判断するのは危険です。しかし、何紙も購読するのは経済的にも負担が大きいでしょうから、ネットで発信している各新聞社の情報を比較してみればいいでしょう。同じ事件の伝え方がここまで違うものかと、驚く人が多いと思います。

放送局と新聞・雑誌社の大違い

一方、テレビやラジオなどの放送局は、日本の場合、新聞や雑誌とは違って、それぞれの立場で勝手に偏向報道を行うことが許されていません。これは放送法第四条に規定されています。どういうことかというと、

「政治的に公平であること」

「意見が対立している問題については、できるだけ多くの角度から論点を明らかにすること」

などを遵守(じゅんしゅ)すべき旨が明文化されているのです。

国家の共有財産である限られた公共の電波なので、一部の事業者に独占利用の許認可を

与える際に、これらの規定を守ることが条件とされているのです。ですから放送局が、民意を一定の方向に誘導する偏向報道を行うことは許されないわけです。

たとえば二〇一五年に安全保障関連法案（安保法案——メディアのなかには、共産党が言い出した「戦争法案」や「戦争法」というレッテル貼りをまだ行っているところもありますが）が国会で審議されたとき、NHKを含む放送局は、法案への反対意見ばかりを取り上げていました。特にひどかったのが、テレビ朝日系の「報道ステーション」とTBS系の「NEWS23」です。

異なる意見がある場合、それぞれを紹介しなければならないというのが、放送法第四条の趣旨ですが、日本の放送局はその法令に違反していたわけです。

私がこの問題をここで取り上げた理由は、日本の国益ではなく、近隣諸国に利する方向へと国や大衆の意識を導こうとする放送が、現実に存在すると考えているからです。

例として取り上げた安保法案にしても、これが成立すると困る国家が日本の近隣に存在します。その国家の意向を汲んだ「反日勢力」が、放送局をはじめとする日本のメディアを内部からコントロールしている疑いが濃厚なのです。

私は先ほども触れた「放送法遵守を求める視聴者の会」の呼びかけ人の一人ですが、この活動に対して「言論封殺だ」という的外れな批判が未だにあります。私たちは安保法について、「反対意見をいうな」と主張しているわけではありません。「反対意見ばかりでなく、賛成意見があることも公平に紹介すべきだ」といっているのです。

様々な法案に対していろいろな意見があるのは当然であり、それを自由に表現するのは民主主義の基本ですが、一部の意見や主張を切り取って世論を誘導しようと試みることは、民主主義への冒瀆であり、公益に資すべき放送局にあるまじき行為です。

「報道しない自由」とは何か

偏向報道という言葉で真っ先に頭に浮かぶのは、沖縄の「琉球新報」と「沖縄タイムス」という新聞二紙です。

この二紙に関しては呆れるほど偏向しているといわざるを得ません。それこそ毎日、在日米軍基地反対のオンパレード。もはや偏向報道というよりも、意図的な世論操作といわれても仕方がないほど偏っています。きっと彼らも「その通りだよ」と認めるでしょう。

私は二〇代前半に沖縄に半年間住んだ経験があり、いまでも仕事の関係で数ヵ月に一度は訪れるので、沖縄にはいろいろと思い入れがあります。初めて普天間基地を訪れたのは一九七五年で、そのときからこの基地は危険だと思っていました。

一九八八年に出版した『ボクが見た日本国憲法』（ＰＨＰ研究所）のなかで、普天間基地は早く返還すべきだと書いています。九五年の米兵少女暴行事件や二〇〇四年の米軍ヘリ墜落事故が起こるずっと前のことです。

普天間が果たして「世界一危険な基地」なのかといえば、昔とはかなり状況が変わっていますが、宜野湾市民が望んだ普天間基地の一日も早い撤去は、日米両国首脳の意見が一致するところです。それを踏まえて名護市辺野古への基地移転がいったん合意されましたが、民主党への政権交代で、その約束が反故にされてしまいました。

その後、自民党が政権に復帰しても、普天間基地から辺野古への移転は難渋を極めています。猛烈な反対運動があるからです。

しかし、反対運動の参加者に地元の人は少なく、県外から乗り込んできた「プロ市民」が相当な割合を占めます。裏では中国などの工作員がからんでいる疑いが濃厚ですが、沖縄県内のみならず、東京でもこのような情報が報じられることは滅多にありません。

過激な基地移設反対運動家と警備する機動隊……違法行為によって反対運動を続ける活動家たちを機動隊が排除しようとすると、メディアは、

「機動隊が暴力で反対運動を押さえつけている」
「沖縄県民の意思を無視している」
といったイメージを植え付ける報道を行います。

相手が誰であろうと、法律違反を犯す人間を排除したり、取り締まったりすることは、法治国家における警察の義務ですが、この視点からの報道を見た記憶がありません。

最近は、辺野古の新滑走路建設よりも、米軍が北部訓練場を返還する準備として建設を進めているヘリパッド工事を邪魔する過激な行動が、度が過ぎていて呆れています。大阪府警から派遣された機動隊員が、活動家に対して「土人」と差別発言を行ったなどとして、東京のメディアでも大きく取り上げられましたが、機動隊員が堪忍袋(かんにんぶくろ)の緒を切らすまでの過程は、活動家の暴言や暴行を撮影した動画が存在するにもかかわらず、テレビ局はまったく取り上げようとしません。

沖縄県の活動家には、いわゆる「プロ市民」といわれる反対運動専門のサクラが多く、暴力的な活動も行われています。アメリカ軍基地のフェンスに赤いテープを巻きつけていますが、テープのなかにはガラス片が仕込まれているのです。取り除こうとする人がケガをするようになっていて、これは間違いなく「未必の故意」による傷害罪の実行行為です。悪質な犯罪行為であり、現行犯逮捕して裁判にかけるべきです。

ほかにも基地内への不法侵入や器物破損、テント村のような長期にわたる公道の不法占拠、脅迫や暴行、傷害事件なども数多く発生しています。

そうしたことを大手メディアはいっさい報道しません。もちろん地元二紙も同様です。メディアが編集権を濫用（らんよう）し、「報道しない自由」を行使しているのです。新聞やテレビから情報を得る際には、こういった点にも注意しなければなりません。

侵略行為を黙認する政治家の名前

沖縄の米軍基地の問題は、日本が国家として、安全保障問題をどうしたいのかがいちばん重要です。いうまでもなく、安全保障問題は、日本国民たる沖縄県民にとっても非常に大事なことです。沖縄県内にある米軍基地を負担に感じるという問題も確かに重要ですが、では、尖閣諸島への中国からの脅威に対して、沖縄県民はどうしたいのでしょうか。

沖縄では、米軍基地反対派の過激な運動で、全体像が見えなくなっています。メディアは沖縄の米軍基地反対が沖縄県民の総意というように伝えています。しかし、果たしてそうでしょうか。私は、そこに大いに疑問を持っています。

普天間基地の返還は、基地がある宜野湾市民の悲願です。さらに、辺野古への移転を歓迎する地元の名護市民は決して少なくありません。そういった地元の方々の声は、よそ者たちの過激な活動のせいで圧殺されています。辺野古の地元民にとって本当に迷惑なのは、米軍基地ではなく、過激な活動家だと明言する地元民もいます。

基地反対勢力のなかの急進的左派には、沖縄県民以外の人間がおよそ一〇〇〇人、紛れ込んでいて、なかには中国人や韓国人と見られる人物も確認されています。中国の簡体字の漢字やハングル文字で書かれた横断幕も見られます。彼らは日本国内を混乱させる目的を持った工作員と見て間違いないでしょう。日本にはスパイ防止法がないため、やりたい放題です。

また石垣島の漁師たちにとっては、尖閣諸島付近への中国の領海侵犯は深刻です。尖閣近海は好漁場でしたが、石垣島の漁師はここで漁ができない状況になっています。彼らは中国の領海侵犯に対し、国にもっと毅然(きぜん)とした態度を取って欲しいと切実に訴えています。

本来であれば、そのような声を国に届けるべき沖縄県知事の翁長雄志氏は、中国による尖閣諸島への領海侵犯にはまったく触れません。中国の要人と会談しても何もいわず、日本政府とアメリカには「米軍基地は出ていけ！」というのでは、沖縄県を預かる知事の仕事を放棄しているのにも等しく、まったく筋が通りません。

もし中国からの脅威が完全になくなれば、沖縄の基地負担は大幅に軽減できます。ですから、石垣市の中山義隆市長は、こうした翁長県知事の姿勢を批判しています。八重山諸島の地域紙「八重山日報」も、沖縄本島の反基地運動を批判しています。

もし、翁長知事自身が中国が送り込んだ工作員だというのであれば、すべての疑問が氷解する話ではありますが——。

沖縄本島と離島に住む人々とのあいだで、基地問題に温度差があるなか、二〇一六年九月、石垣市の中山市長に関する怪文書が出回りました。二〇〇七年一一月の市長就任前の市議時代、台湾への公務出張中に女性といかがわしい行為に及んだと思わせる内容です。

——中山市長は記者会見で反論します。

まず、台湾出張は公務ではなく、所属していた民間団体の交流事業で、一個人として私費で参加したものであること。さらに怪文書に同封されていた写真は、風俗店ではなくカラオケ付きの飲食店だったと説明しています。

中山市長は那覇地検石垣支部に、名誉毀損の告訴状を提出しています。

怪文書の内容が事実かどうかということよりも、問題は、誰が、何の目的で、この怪文書を作成し、各所に送付したのかということです。

現段階では何も分かりませんが、私は中国工作員がからむ団体の仕業だとにらんでいます。尖閣諸島の防衛を強く政府に迫る市長が失脚すれば、誰にメリットがあるのかを考えると、容疑者は自ずと浮かんできます。

先に紹介した工作の手引きで、対立する国家の政治家のうち「打倒排除すべき者」に、中山市長が選ばれてしまった可能性が高いと思います。

今回の怪文書に関しては、捜査当局の頑張りに期待したいところです。

また有権者は、誰が自分たちの安全や生活を守ってくれるのかを、しっかりと見極めることです。明らかな侵略行為を黙認する政治家に投票する人たちの気持ちが、私には理解できません。

駐中国大使の驚くべき発言

このような中国からの情報戦に対し、日本の特に「サヨク」や「パヨク」と呼ばれる方たちは、何を思うのでしょうか。あるいは国会前で「平和憲法を守れ！」「戦争反対！」と叫んでいる方々は、見て見ぬふりをするのでしょうか。

外食や給食事業を展開するシダックスの創業者である志太勤氏が立ち上げた一般財団法人に、「希望日本投票者の会」があります。「希望あふれる日本へ」をキャッチフレーズに、有識者の講演などを行っています。

あるとき代表である志太さんが、若い学生たちに、

「もし、日本が中国に占領されてもいいのか」

と問いかけました。すると一人の学生が、

「いまの生活が維持されるなら、それでもいい」

と答えたそうです。

私はその話を聞いて愕然としました。GHQの「ウォー・ギルト・インフォメーション・プログラム（WGIP）」による洗脳工作に加えて、中国の情報戦によってここまで平和ボケが浸透してしまったのかと、恐怖感すら覚えました。

もし、日本が中国の一部になり、「日本自治区」や「日本省」となってしまったら、日本人が現在の生活を維持できるはずがありません。チベットのように信仰を弾圧されたり、あるいはグーグルもヤフーもフェイスブックもツイッターも使えなくなることは確実

です。

公共機関や学校教育の現場では日本語が禁止され、各試験は中国語で行われます。もちろん就職等でも、元日本人ということで差別されます。もし、それらに対してデモ活動などで不平や不満を訴えたければ、殺される覚悟が必要です。

チベットやウイグルでどれほどの残虐行為が行われてきたのか、その現実を見れば、いくら平和ボケした頭でも、中国の一部となった日本の悲惨さを想像できるのではないでしょうか。

『対日政治工作　中国共産党「日本解放第二期工作要綱」』にも、「日本が現在保有している国力のすべてを、我が党の支配下に置き、我が党の世界解放戦に奉仕せしめることにある」とあります。もし中国が対外的な戦争でも始めれば、最前線に送られるのは、占領下にある日本人なのです。

実際、中国（共産党軍）は朝鮮戦争に参戦しましたが、国共内戦で捕虜にした国民党軍の兵士を、後ろからライフルで脅しながら、地雷原へと突き進ませました。近年になっても、「法輪功」という気功サークルの会員が増え過ぎて、このままでは共産党政権に対する脅威になりかねないという理由だけで、罪もない人民を拘束し、身体を切り刻み、移植用の臓器として売りさばいていた国なのです。

「安保法で徴兵制が復活する！」などというのは、社民党や共産党に煽(あお)られた平和ボケの寝言に過ぎませんが、中国に支配されれば、平和で平穏な生活などまったく幻想でしかなくなります。

しかも、一般市民ならともかく、それなりの地位にあった有識者の口から、中国に対する憧(あこが)れのような言葉が出て来るのには呆れてしまいます。

伊藤忠商事の元会長で、のちに民間から初めて中国大使に任じられた、丹羽宇一郎(にわういちろう)氏という方がいます。この人物のトンデモ発言を、雑誌「ＷｉＬＬ」（二〇一二年七月号）が暴露しています。伊藤忠商事時代に作家の深田祐介(ふかだゆうすけ)氏との対談で、

「将来は大中華圏の時代が到来します」

「日本は中国の属国として生きていけばいいのです」

と発言し、深田さんが、

「日本は中国の属国にならなくちゃならないんですか」

と疑問を呈すると、

「それが日本が幸福かつ安全に生きる道です」

と述べているのです。

当時、商社マンであった丹羽氏は、自らの会社への利益誘導の思惑もあったのでしょう。中国から覚えのめでたい丹羽氏は、その後、民主党政権下で中国大使に任じられます。中国の走狗ともいうべき丹羽氏のトンデモ発言は、中国大使に就任してからも続き、そのいくつかは拙著『いよいよ歴史戦のカラクリを発信する日本人』に紹介しているのでここでは省きますが、さすがに菅直人政権下で中国大使に任命された丹羽氏も、野田佳彦政権下では、その任を解かれました。

目先のビジネスのために、より大きな国益を損ね、国民を不幸に陥れようとする経済人は昔からいました。自分たちの利益や利権が得られれば、国家の主権すら侵害されてもかまわないという売国奴に対して、日本人は厳しい目を向けなければなりません。

民主党政権の情けない行動

傍若無人な中国船は、世界各国に進出してあちこちで摩擦を引き起こしています。南シナ海や小笠原諸島のみならず、それこそ地球の反対側でも騒動を起こしています。

二〇一六年三月、アルゼンチンの沿岸警備隊が、南大西洋で違法操業していた中国漁船を重機関銃で銃撃して撃沈させる事件が発生しました。

これはいまに始まったことではありません。外国の排他的経済水域（ＥＥＺ）に侵入しては違法操業を繰り返し、拿捕を逃れようとして体当たりを行うことなど、中国船にとっては日常茶飯事です。インドネシアは、拿捕した中国漁船の爆破をメディアに公開しています。

世界の常識として、外国船が自国の領海内で違法操業を行い、自国の財産を奪われたとしたら、強硬手段に打ってでます。それが次の違法操業に対する抑止力になるからです。

しかし、日本の場合は違います。

繰り返しになりますが、二〇一〇年、尖閣諸島沖で違法操業を行っていた中国漁船が取り締まり中の巡視船に体当たりして逃走しようとした事件がありました。このときの経緯を見ると、日本の対応がいかに甘いかが分かります。

違法操業を行っていた中国漁船に対し、日本の巡視船は、まず「日本の領海から出る」ように警告を発します。中国漁船はその警告を無視して、違法操業を続けていたのです。

逃走しようとした中国漁船は、最後は巡視船に体当たりしたため、船長を逮捕します。

しかし中国当局は、「尖閣諸島は中国固有の領土」との根拠で、船長以下船員すべての釈放と船の返還を求めます。

当時の民主党政権は、情けないことに船員を釈放、漁船も返還……さらに国内法で起訴しようとしていたなか、中国人船長を不起訴、処分保留で釈放してしまったのです。この情けない対応が、民主党政権崩壊の遠因になったのですが、このような弱腰ぶりが海外の無法者を増長させ、日本の国益を損ね続けているのです。

後年、小笠原諸島と伊豆諸島近海に中国漁船が大挙して押し寄せ、貴重な赤サンゴを根こそぎ奪っていった事件も発生しました。日本が相手なら、どうせ手出しできないから大丈夫だと、無法者たちにナメ切られているのです。

この事件は、赤サンゴを狙った中国の漁民が示し合わせてやったものではありません。漁船の一部には海上民兵が乗り込んでおり、日本の領海の測量を行ったり、日本政府の出方を試したりした工作行動だったと考えられます。はっきりいえば、日本侵略の下準備です。

国際法に照らし合わせて、海上保安庁や海上自衛隊は、当然やらなければならない任務を遂行するべきです。国民の生命と財産を守るために、政府はやる義務があります。

そのとき憲法九条などの国内法が国際法を実施する壁となっているのであれば、その点は法改正しなければなりません。現状の放置は、唯一の立法機関たる国会が「不作為の罪」を犯していることを意味するのです。

華夷思想に平和憲法で勝てるか

日本国内を二分する論議に、憲法改正だ、いや平和憲法を守るべきだという問題があります。もうこれはナンセンス過ぎる議論だと私は思っています。

「改正の拒否を前提とした法律は、無効である」という近代法の精神があります。

ご存じの通り、日本国憲法には改正条項（第九六条）がありますから、憲法改正を議論することさえタブー視するのは明らかな間違いです。

国際情勢が流転し、混沌としているなか、現状にそぐわない憲法を金科玉条のごとく崇め奉る光景は、傍から見て非常に滑稽です。これまで述べてきたように、近隣諸国からの、目に見えない、いや明らかに目に見える侵略が、すでに始まっているからです。

たとえば憲法の前文には、

「日本国民は、恒久の平和を念願し、人間相互の関係を支配する崇高な理想を深く自覚するのであつて、平和を愛する諸国民の公正と信義に信頼して、われらの安全と生存を保持しようと決意した」

とあります。

これを受けた形で憲法九条につながるのですが、日本国民が「恒久の平和」を念願するのはいいとして、「平和を愛する諸国民の公正と信義に信頼して」いいものでしょうか。日本の周りを見渡して、平和を愛する国々、あるいは公正と信義に値する国々が存在するのでしょうか。

他国の領海にずかずかと入り込んで軍事基地を建設したり、他国の島を不法占拠したり、核開発やミサイル発射実験を繰り返す国々……彼らの「公正と信義」を信頼して、「平和憲法」を守り通そうとすることほど、滑稽な話もありません。

そもそも日本国憲法を「平和憲法」と呼ぶのは間違いです。正しくは、「平和を願う憲法」です。ところでこの憲法、誰に対して平和を願っていますか?

かつてはソ連、現状であれば中国と北朝鮮です。どちらも自国民の人権はおろか、人命ですら尊重しない国々です。どうして外国である日本や日本人のことを尊重してくれると思えるのでしょうか。何の根拠もない楽観主義には驚かされます。

ちなみに新憲法施行からわずか七年後、「平和憲法」が持っているはずの「魔除け」の効果は発揮されませんでした。李承晩大統領が率いる韓国によって島根県の一部である竹島を強奪されたのです。

「平和憲法さえあれば日本は平和なんだ！」と叫び続ける人たちは、戦後の歴史を学んでください。いまのままでは「平和ボケ」と揶揄されても仕方がありません。

華夷思想に基づいて、日本をたとえ力ずくでも下位に位置づけたい中国や韓国（プラス北朝鮮）に対し、現在の日本国憲法は、第九条と前文を筆頭に、欠陥だらけといわざるを得ません。

少なくとも、国民の生命と財産を守る責任を負う立法府の国会議員が、

「憲法を変えなくていい」

「議論すら許さない」

というのは、職務怠慢以外の何物でもありません。

慰安婦問題という「冤罪事件」

中国や韓国の反日団体は、「歴史を直視しろ」「歴史を改竄するな」と声高に叫びます。

その言葉をそっくりお返ししたいところですが、確かに日本人ももう少し、歴史を見つめ

直したほうがいいでしょう。

少なくとも、歴史的一次資料を検証もせずに、相手が反日プロパガンダで捏造(ねつぞう)した歴史を鵜呑(うの)みにして、ただ謝罪を繰り返す姿勢は、改めなければなりません。

捏造された慰安婦問題についても同じことがいえます。

「悪魔の証明」という言葉があります。たとえば世の中に何かが「存在すること」を証明するのは簡単です。そのものを実際に見せればいいわけですから。しかし「存在しないこと」を証明するのは困難です。ネッシーやイエティなどのＵＭＡ（未確認生物）の存否が、最初の目撃情報から何十年経っても明確にならないのは、そのような理由もあるのです。

本来、ないものを「ない」と証明する必要はなく、「ある」と主張する人が、その存在を証明する証拠を提示しなければなりません。

慰安婦問題という「冤罪事件(えんざいじけん)」も同様です。もし日本軍ないし日本政府による強制連行があったというのなら、「あった」と主張する方が、その証拠を提示しなければなりません。ところが、対日プロパガンダで慰安婦問題を声高に叫ぶ連中は、何も証拠を出しません。いや、そもそも存在しないのだから、証拠を出せないのです。

出せない証拠に対しては、反論のしようがありません。しかしそれでも、冤罪であることの証明は、ある程度できます。日本は濡れ衣を着せられた以上、自らの無実を世界に向けてアピールする努力は必要です。

世界が批難し始めた中韓

執拗な中国や韓国の反日プロパガンダに対しては、日本も情報発信力を強化して対抗していかなければなりません。最近ではその効果も少しずつ現れてきたのか、海外でも中国や韓国の主張に対して、疑問を抱く人が増えてきました。

もっとも、中国や韓国の主張があまりにも強引すぎるので、かえって逆効果となって、疑問を抱かせるような結果も生まれているようですが。

世界の空気の微妙な変化は、中国や韓国の国内にも少しずつ現れてきているようです。特に若者のなかには、日本の文化に憧れを抱く人々が増え、必ずしも反日一色ではなくなってきている印象です。

政府がいくら日本の戦争責任や残虐非道ぶりをメディアを通して喧伝しても、「どうせ、嘘だろうから」と醒めた目で見る若者も多いのです。

韓国メディアは相変わらずのようですが、それに対する若者を中心にした反応が微妙に変わってきています。スポーツの日韓戦や旭日旗(きょくじつき)をめぐる国内の反発など、自分たちの反応の異常さに、気付いてきたのでしょう。

あまりに下劣な日本バッシングに、メディアや有識者からも批判が上がり始めました。たとえば東日本大震災や、最近では熊本地震で被害に遭った日本をあざ笑う、ネットの書き込みも少なくありませんでした。これに対して、韓国メディアや有識者から、苦言が呈され始めたのです。

もっともこれは、日本を慮(おもんぱか)ってというよりも、韓国人の民度が低いという、海外からの批判を恐れてのことかもしれませんが……。

これまで韓国政府および反日団体が捏造してきた慰安婦問題に関しても、韓国の世宗(セジョン)大学校の朴裕河(パクユハ)教授は、二〇一四年に『帝国の慰安婦』(朝日新聞出版)という書籍で、別の角度から検証を試みました。これは、韓国からよりも、日本の反日サヨク団体からの反発が強かったようですが、韓国人のなかにも、このように歴史を冷静に見ようとする有識者が出てきているのです。

こうした動きを、日本は静かに支持するべきです。特に日本国内の反日サヨク団体の、理不尽な言論封殺などには目を光らせたいところです。「ヘイトスピーチ対策法」のような問題だらけの法律も成立しています。

韓国の検察当局は、元慰安婦に対する名誉毀損で朴教授を在宅起訴しましたが、このような暴挙も海外からどんな目で見られるか、いずれ思い知ることでしょう。世界の世論が少しずつ、日本の味方になりつつあることは、間違いありません——。

あとがき――アジア随一の先進超大国としての務め

中国や韓国からのいわれなき攻撃に対しては、まず一人ひとりの日本人が、歴史上の事実や国民性の違いなどについて、十分な知識を身に付けたうえで、「相手の主張は理不尽(りふじん)ないいがかりに過ぎない」という、確信を持つことが重要です。

そしてこれまで、反日プロパガンダ等に対して右往左往し、ただひたすら謝り続けてきた過去を反省するべきです。

そして日本人は、自国の文化や歴史に誇りを持たなければなりません。戦後、GHQによる「ウォー・ギルト・インフォメーション・プログラム（WGIP）」によって自虐史観を植え付けられたマインドコントロール状態から、そろそろ目覚めてもいい頃です。

まずは日教組に支配された教育現場から改革したいところです。不倫騒動で辞職するような人物がトップになれる品性下劣な組織から、日本の教育の主導権を奪う必要があります。そもそも自国の国歌と国旗に敬意を表さない教職員がいる国は、日本以外にありえません。確かに思想信条は各人の自由ですが、公の場で祖国に対して無礼を働く教職員がいることと自体が異常であり、国として恥ずべきことなのです。

そして左傾化し過ぎたマスコミの改革も急務です。多くの在日外国人やスパイが紛れ込んでいると噂されるテレビ局や新聞は、こぞって日本の過去を全否定し、自虐史観を国民に植え付けてきました。

そして、これに異を唱える人間には、容赦なく批難を浴びせかける始末……これが本当に、表現の自由がある国の状況だといえるでしょうか。

誰かが「愛国心」という言葉を発するだけで、戦前や戦中のことを連想し、「軍国主義だ！」と騒ぎ立てるのは、まさにマインドコントロールから抜け出ずにいる証拠です。戦前や戦中の日本をすべて否定するのは、そろそろ止めにしましょう。

日本は世界に誇るべき歴史を持った国です。そして日本人は誰からも尊敬され、愛される国民性を持った民族なのです。

かくいう私も、アパ日本再興財団が主催する「真の近現代史観」懸賞論文に応募した論文のなかで、「日本のなかでいちばん好きなのは日本人です」と書いたくらいです。「儒教の呪い」に支配された国々からのいわれなき誹謗(ひぼう)中傷に臆することなく、もっと自信と誇りを持ってください。

混沌とする世界情勢のなかで、今後の日本はアジア随一の先進超大国としての自覚を持ち、その役割を堂々と果たしてほしいと考えています。

二〇一七年二月

ケント・ギルバート

ケント・ギルバート

1952年、アイダホ州に生まれる。1970年、ブリガムヤング大学に入学。翌1971年にモルモン宣教師として初来日。その後、国際法律事務所に就職し、企業への法律コンサルタントとして再来日。弁護士業と並行してテレビに出演。2015年、公益財団法人アパ日本再興財団による『第8回「真の近現代史観」懸賞論文』の最優秀藤誠志賞を受賞。『日本人の国民性が外交・国防に及ぼす悪影響について』と題した論文は、日本人の誠実さなどを「世界標準を圧倒する高いレベル」と評価。一方、その国民性が「軍事を含む外交分野では最大の障害になる」とした。

著書に、『まだGHQの洗脳に縛られている日本人』『やっと自虐史観のアホらしさに気づいた日本人』(以上、PHP研究所)などがある。

講談社+α新書 754-1 C

儒教に支配された中国人と韓国人の悲劇

ケント・ギルバート

2017年2月20日第1刷発行
2017年5月10日第12刷発行

発行者——鈴木 哲
発行所——株式会社 講談社
東京都文京区音羽2-12-21 〒112-8001
電話 編集(03)5395-3522
販売(03)5395-4415
業務(03)5395-3615

カバー写真——乾 晋也
デザイン——鈴木成一デザイン室
カバー印刷——共同印刷株式会社
印刷——慶昌堂印刷株式会社
製本——牧製本印刷株式会社

定価はカバーに表示してあります。

落丁本・乱丁本は購入書店名を明記のうえ、小社業務あてにお送りください。

送料は小社負担にてお取り替えします。

なお、この本の内容についてのお問い合わせは第一事業局企画部「+α新書」あてにお願いいたします。


ISBN978-4-06-272964-2

講談社+α新書

書名	著者	内容	価格	番号
「アンチエイジング脳」読本 いくつになっても、脳は磨ける	築山 節	今すぐできる簡単「脳磨き」習慣で、あなたの脳がどんどん変わる！ ボケたくない人の必読書	800円	626-1 B
最強の武道とは何か	ニコラス・ペタス	K-1トップ戦士が自分の肉体を的に実地体験！ 強さには必ず、科学的な秘密が隠されている!!	838円	627-1 D
住んでみたドイツ 8勝2敗で日本の勝ち	川口マーン惠美	在独30年、誰も言えなかった日独比較文化論!! ずっと羨しいと思ってきた国の意外な実情とは	838円	628-1 D
住んでみたヨーロッパ 9勝1敗で日本の勝ち	川口マーン惠美	20万部突破のシリーズ最近作!! 欧州の都市は劣化しEUは崩壊する…世界一の楽園は日本！	880円	628-2 D
世界一豊かなスイスとそっくりな国ニッポン	川口マーン惠美	「幸福度世界1位」の条件は全て日本にも揃っている!! 「あとはスイスに見習うだけ！」	840円	628-3 D
成功者は端っこにいる 勝たない発想で勝つ	中島 武	350店以上の繁盛店を有する飲食業界の鬼才の起業は40歳過ぎ。人生を強く生きる秘訣とは	838円	629-1 A
若々しい人がいつも心がけている21の「脳内習慣」	藤木相元	脳に思いこませれば、だれでも10歳若い顔になる！ 「藤木流脳相学」の極意、ついに登場！	838円	630-1 B
新しいお伊勢参り 〝おかげ年〟の参拝が、一番得をする！	井上宏生	伊勢神宮は、式年遷宮の翌年に参拝するほうがご利益がある！ 幸せをいただく(得)お参り術	840円	631-1 A
日本全国「ローカル缶詰」驚きの逸品36	黒川勇人	「ご当地缶詰」はなぜ愛されるのか？ うまい、取り寄せできる！ 抱腹絶倒の雑学・実用読本	840円	632-1 D
缶詰博士が選ぶ！「レジェンド缶詰」究極の逸品36	黒川勇人	落語家・春風亭昇太師匠も激賞！ 究極中の究極の缶詰36種を、缶詰博士が厳選して徹底紹介	880円	632-2 D
溶けていく暴力団	溝口 敦	反社会的勢力と対峙し続けた半世紀の戦いの集大成！ 新しい「暴力」をどう見極めるべきか!?	840円	633-1 C

表示価格はすべて本体価格（税別）です。本体価格は変更することがあります